BLIND

# VERA DELAVA

Clavis

Vera Delava
Blind
© 2007 Clavis Uitgeverij, Hasselt – Amsterdam
Foto omslag: Adobe Stock Photos
Omslagontwerp: Maarten Deckers
Trefw.: racisme, geweld, vriendschap
NUR 284
ISBN 978 90 448 0715 8
D/2007/4124/027

www.clavis.be
www.clavisbooks.nl

# EEN

'Joe is een ellendeling,' zegt mijn zus. 'Ik hoor dat aan zijn stem. Ik lees het in zijn ogen. Ogen liegen nooit. Echt waar, ik vertrouw die jongen niet. Ik zie je niet graag samen met hem over straat lopen. Dan heb ik liever die andere, die zwarte jongen waar je altijd mee optrekt. Hoe heet hij ook alweer?'

'Djekke,' zeg ik. 'Hé, Liesl, ben je soms verliefd op Djekke?'

'Ik? Verliefd op Djekke?'

'Smoor op Djekke. Smoor op Djekke.' Ik huppel rond mijn zus, snijd haar de pas af, geef een duwtje tegen haar schouder, een por in haar rug en maak met mijn vuist een schijnbeweging naar haar neus.

'Laat dat,' gebaart Liesl. 'Ik ben niet in de stemming.'

Ze neemt mijn linkerarm vast en draait hem in een vlugge beweging op mijn rug. Ik steek mijn voet tussen haar benen en probeer haar onderuit te halen. We rollen proestend door het zand, kruipen overeind en laten ons lachend weer neervallen. Ik wring mijn handen los en kietel Liesl onder haar armen. Luid gillend rent mijn zus de zee in.

'Djekke,' treiter ik. 'Djekke. Djekke.'

Liesl spettert mij nat.

'Kom maar op als je durft!'

Ik twijfel. Als ik het water in wil, moet ik mijn broekspijpen opstropen en mijn sandalen uittrekken. Tegen die tijd is Liesl al te ver. Ik pas.

Liesl danst uitdagend in haar korte plooirok, die ze boven haar bikinibroekje heeft vastgeknoopt. Van onder haar rok komen een paar witte, spichtige benen. Het topje van haar bikini verstopt twee platte borsten. Wijdbeens staat ze in het ondiepe water.

'Spriet,' plaag ik. 'Spriet.'

'Zal ik?' Ze heft lachend haar handen vol zeewier op.

'Hé, dat is vals!'

Ik ren een eindje van haar weg. Je weet maar nooit waartoe mijn zus in staat is!

Liesl komt uit het water. Ze gaat zitten om haar sandalen aan te trekken.

We lijken niet op elkaar. Volgens ma lijkt Liesl op haar vader. Een vader die meer van zijn fles whisky dan van zijn dochter hield. Liesls vader is dood. Al zes jaar.

Ik ga naast haar in het zand zitten.

'Bijna één uur,' zeg ik met een tikje op mijn horloge. 'Wat eten we vanmiddag?'

Liesl schudt haar haren los.

'Het is jouw beurt, Wouter!'

'Mijn beurt?' houd ik mij van den domme.

'Jouw beurt om het eten klaar te maken, herinner je je onze afspraak niet meer?'

'Jongens koken niet,' zeg ik stoer.

Liesl springt op en bekijkt mij vol medelijden.

'Jij vindt later nooit een vriendin,' verkondigt ze stellig. 'Moderne vrouwen zoeken mannen die kunnen wassen en koken. En met een beetje geluk vinden ze iemand die ook nog luiers ververst en de kinderen naar school brengt.'

De logica van mijn zus!

Ik ga naast haar lopen. Liesl bukt zich om een schelp op te rapen. Twee flinterdunne helften in de vorm van engelenvleugels die nog aan elkaar vastzitten.

'Petricola pholadiformis,' zegt ze zonder verpinken.

Liesl kent de namen van alle schelpen uit haar hoofd.

Ondertussen draven we in de richting van de dijk. Achter de dijk, voorbij de kustweg, doemen de eerste huizen op. Na enkele minuten bereiken we hijgend de hoofdstraat. Het is de laatste dag van augustus en de thermometer wijst nog altijd zevenentwintig graden aan. Mijn schaduw is een beweeglijk punt dat met me meedraait.

'Laten we een hamburger gaan eten,' stel ik voor.

'Van hamburgers word je dik,' zegt Liesl op een toon alsof ze mijn moeder is.

'Nietes!'

'Welles!'

'Nietes!'

Liesl prikt met haar vinger in mijn buik.

'Zie je wel, je krijgt al een dikke pens.'

Ik trek mijn buik in.

Liesl stapt de enige winkel binnen die op dit uur nog open is en bestelt twee broodjes met sla en tomaat en een fles water.

'Wachten tot thuis!'

Met een nors gezicht steekt ze vlug de straat over. Twee jongens fluiten haar na. Ondanks haar magere stelten heeft ze iets wat jongens aantrekt, denk ik. Maar wat?

We wonen in de laatste straat aan de andere kant van het dorp, in een huis dat tot aan de eerste verdieping roze geschilderd is. Het bovenste gedeelte is wit tot aan de nok. Terwijl ik de sleutel in het slot steek, wordt de deur al opengerukt.

'En, is er al meer nieuws over je zusje?'

Liesl loopt zonder te antwoorden de trappen op. De onderbuur kijkt haar na en gluurt onder haar rok.

'Ik moet dringend,' verontschuldig ik me om geen gesprek met de man te hoeven aanknopen.

'Neem een bord,' beveelt Liesl als ze ziet dat ik gretig mijn tanden in het broodje zet.

Ze trekt haar rok uit en wringt zich in een nauwsluitende jeans.

'Hé, sinds wanneer draag jij een navelpiercing?'

'Gaat je niks aan.'

Liesl gaat tegenover mij aan tafel zitten en eet haar broodje met mes en vork, alsof het een stukje gemarineerde zalm is.

'Zorg dat je vanavond op tijd klaar bent, Wouter.'

'Ik ga niet mee.'

Ik laat mijn stem vastberaden klinken.

'Maar ma verwacht je!'

Ik maak een afwerend gebaar. Een stuk tomaat glijdt van mijn bord op mijn broek. Vloekend ren ik naar de gootsteen en begin te wrijven. Maar hoe harder ik wrijf, hoe groter de vlek wordt. Ik bedek ze met mijn hand wanneer ik terug aan tafel schuif.

'De baby is zo klein,' overdrijft Liesl en ze wijst met haar handen de grootte van een pasgeboren hondje aan. 'Ze ligt in een couveuse en is met draadjes en slangetjes verbonden aan een monitor en een infuus.'

Huilt mijn zus? Ik kijk naar haar ogen. Die zijn rood en waterachtig.

'De geur van een ziekenhuis bezorgt mij altijd rillingen,' probeer ik zonder veel overtuiging.

'Toe, Wouter, mag ik straks tegen ma zeggen dat je vanavond komt?' dringt Liesl aan.

'Vraag maar aan die vent van haar om haar te bezoeken,' mompel ik grimmig.

Liesl bekijkt mij scheef. Nonchalant prik ik een schijfje komkommer op mijn vork.

'Wat een idee ook om op haar leeftijd nog een kind te willen!'

'Ma is nog jong en heel actief,' zegt Liesl verontwaardigd. 'En de baby heeft hier toch niet om gevraagd?'

'Wij hebben hier ook niet om gevraagd,' mompel ik. 'Zie ons hier nu zitten.'

Ik wijs naar onze kleine kamer en onze schamele bezittingen.

'Met een baby erbij kunnen we nog amper bewegen. En wie zal er op haar letten als ma 's avonds moet werken of als ze uitgaat met Goffin?'

De voornaam van Goffin krijg ik niet over mijn lippen.

'Ik hou van baby's! O, ik vind baby's zo schattig!' kwijlt mijn zus. 'Hé, misschien moet ik maar eens een baantje zoeken. Dan hoeft ma mijn kleren en mijn zakgeld tenminste niet meer te betalen en kan ze zichzelf eindelijk ook eens wat veroorloven. Ik heb een idee. Die vriend van jou, die Djekke, kan die mij niet aan een baantje helpen in het restaurant waar hij werkt? Ik kan pizza's maken, de tafels dekken, opdienen, afruimen ...' somt ze enthousiast op.

Liesls ogen beginnen te schitteren. Ze ziet zichzelf vast al in een zwart uniform met een witte schort en een pet met het logo van de zaak erop.

'Vraag je het hem? Toe, Wouter, vraag je het hem?' bedelt ze.

'Tien procent,' zeg ik.

Liesl staat achter mij. Voor ik mij kan verweren, slingert ze haar armen onder die van mij en drukt met haar handen mijn hoofd naar beneden.

'Vijf procent,' piep ik snel.

Liesl drukt nog harder. Mijn neus raakt het tafelblad.

'Vanavond ga je ma bezoeken, hoor je me?'

'Help, ik stik,' kreun ik.

'En je vraagt Djekke naar dat baantje.'

Liesl laat me los en ruimt de tafel af.

'Hé, Wouter, zullen we ma verrassen met een bos bloemen? Heb jij nog een euro of twee?'

'Nee,' lieg ik.

Mijn laatste euro's bewaar ik om straks met Joe bier te gaan kopen. Maar dat vertel ik Liesl natuurlijk niet.

# TWEE

Joe loopt voorop. Hij heeft Bosse meegebracht. Bosse kruipt hijgend en puffend achter hem de duinen op. Hij heeft een veel te korte en strakke broek aan. Op zijn billen staan rode strepen van het elastiek. Zijn T-shirt is zwart met een doodshoofd op de rug. Af en toe glijdt hij uit in een wolk van steengruis en zand.

Met een takje prik ik in de binnenkant van zijn knieën. Kwaad slaat Bosse om zich heen, alsof hij een vlieg wegjaagt. Ik lach. Bosse werpt een verontwaardigde blik over zijn schouders. Ik maak een lange neus naar hem.

Plots ruik ik een stank van bedorven eieren. Ik wapper met mijn handen en knijp mijn neus dicht. Bosse kijkt nogmaals om en grinnikt. Ik mag die jongen met zijn kinderlijk ronde wangen en zijn lichtblauwe babyoogjes niet.

Joe staat op de top van een duin en wenkt mij.

'Kom eens hier, Wouter.'

Ik klauter tussen het helmgras omhoog en snijd Bosse de pas af. Joe legt vaderlijk zijn arm om mijn schouder en wijst: 'Daar!'

Ik maak mij zo breed mogelijk, zodat Bosse, die achter mij staat, niets kan zien.

'Zie je dat huis daar beneden, Wouter?'

Bosse wringt zich tussen ons in en blaast stoom af. Zijn wangen en zijn hals zien nu bijna zo rood als zijn haar.

'Pompoen,' fluister ik.

Even kijkt Bosse alsof hij wil gaan janken.

'Komkom, geen geruzie,' zegt Joe. 'Jullie lijken wel een stel kleine kinderen.'

Voor mij, verscholen tussen de struiken en de bosjes helmgras, zie ik een overwoekerde, stenen trap die naar de duinenweg beneden leidt. Daar, op de plaats die Joe aanwijst, ontdek ik een piepklein en vervallen huisje waar ik vroeger nooit aandacht aan heb besteed. Het wordt aan het oog van de straat onttrokken door een primitief gevlochten rieten hekwerk. Aan de achterzijde beschermen de hoge duinen het tegen weer en wind. Aan onze kant zijn de duinen begroeid met duindoorn en helmgras. Ze hellen zacht af naar het dorp en een beetje verder, aan de andere kant, naar de wadden. Tussen de duinen en de zee ligt de kustweg die het dorp in tweeën verdeelt en verder loopt naar de stad.

'Dat soort volk ontwricht onze maatschappij,' zegt Joe ernstig.

Bosse begint te giechelen. Joe kijkt serieus.

'Ze komen uit een ander land. Ze hebben andere normen en waarden.'

Joe heeft zijn ene arm om mijn schouder en zijn andere om die van Bosse gelegd.

'En ze eten geitenkaas en schapenvlees,' rilt Bosse.

Hij raapt een steentje op en werpt het met een brede zwaai naar het huis. De steen ketst af op het dak. Het is een schuin dak met donkerrode dakpannen.

Bosse raapt een tweede steen op en mikt op de schotelantenne. De steen ploft met veel lawaai tegen een gesloten luik en rolt op de grond. De deur van het huis gaat voorzichtig open en een vreemde vrouw in een lange jurk verschijnt in de deuropening. Met haar hand boven haar ogen spiedt ze angstig de omgeving af. Bosse bukt zich.

'Jakkes,' rilt hij. 'Wat een heks!'

'Zie je nu wat ik bedoel,' zegt Joe rustig. Hij staat als een man met gekruiste armen en gespreide benen in het zand. Een pikzwarte haarlok glijdt over zijn voorhoofd. Zijn gezicht staat ernstig.

'Pff,' blaas ik ongeïnteresseerd en ik draai mij om.

'Wacht eens even,' zegt Joe. 'Dit is nog niet alles.'

Bosse gaat in het zand zitten en trekt een blikje bier open. Vergenoegd neemt hij een slok. Hij smakt en boert. Het bier kan niet anders dan lauw zijn, denk ik. Ik trek een grimas van afschuw, maar ik voel mijn tong aan mijn gehemelte kleven van de dorst.

De vrouw is terug naar binnen gegaan en heeft de deur dichtgetrokken. Er is nu geen beweging, geen geluid behalve het geruis van de zacht aanrollende golven van de zee in de verte.

Joe steekt langzaam een sigaret op en inhaleert diep.

'Mag ik er ook een?' bedelt Bosse.

Joe neemt nog een lange trek, maar antwoordt niet. Ik schaam mij in Bosses plaats. Sigaretten koop je zelf. Als je geld hebt tenminste. Ik voel met mijn hand in mijn zakken. De euro's om Joe te trakteren zitten diep weggeborgen onder mijn zakdoek. Ik wou dat Bosse niet meegekomen was zodat ik hier alleen met Joe kon zijn.

'Let op,' sist Joe tussen zijn tanden.

'Jeetje, is dat wijf daar weer?' vraagt Bosse veel te luid. Onbewust heeft hij de taal van Joe gebruikt.

Maar in plaats van de vrouw verschijnt er een man in de deuropening. Hij heeft golvend zwart haar en een donker gezicht. Hij loopt naar de auto die naast het huis staat en opent de motorkap. Een tweede man met halflang haar en gekleed in onderhemd en jeans, komt het huis uit en gaat op zijn rug met gebogen benen onder de auto liggen. De motor sputtert. De mannen krijgen de wagen niet gestart. Ze schreeuwen naar elkaar en geven elkaar bevelen in een taal die ik nog nooit gehoord heb. Een vrouw steekt haar hoofd door het raam. Ze draagt een kind op de arm. Ze kijkt niet naar ons.

'Bweu,' kokhalst Bosse vol afschuw.

Joe tuit minachtend zijn lippen. Zijn sigaret hangt nonchalant in de hoek van zijn mond.

'Schorem. Zwartwerkers. Illegalen.'

'Een echte heks,' beaamt Bosse volmondig. Hij werpt zijn leeg blikje weg. Het rolt kletterend van de trappen.

'Laat dat,' zegt Joe verstoord. 'Laat nooit sporen achter, jongen.'

Ik kijk op mijn horloge en geeuw. Dit gedoe met Bosse verveelt mij. Ik zoek tevergeefs een uitweg om hem kwijt te spelen.

'Bijna vier uur. Moet jij nog niet naar huis, Bosse?'

'Ma is met mijn broertje naar de stad,' antwoordt Bosse tevreden. 'Ik kan zo lang wegblijven als ik wil.'

Joe kijkt nu ook op zijn horloge. Het is een rond horloge met een chronometer en opvallend grote cijfers. Het ziet er duur uit.

'Hé, mag ik eens kijken,' zeurt Bosse en hij klampt zich vast aan Joes arm.

'Ik moet er maar eens vandoor,' bromt Joe afwerend. 'Het werk wacht!'

Joe laat zich behendig naar beneden glijden.

'Dag jongens!'

Ik blijf alleen met Bosse achter.

'Ik denk dat ik ook maar eens opstap,' zeg ik.

Bosse sjokt achter mij aan. De kortste weg naar het dorp is het pad dat tussen de bunkers loopt en dan naar de zee afdaalt. De ingegraven betonnen bunkers met hun beschutte binnenplaats zijn tijdens de dag een trefpunt voor verliefde stelletjes. Volgens ma veranderen ze 's avonds in een ontmoetingsplaats voor drugsdealers en prostituees. Een poel van verderf. Ik mag hier nooit alleen komen van haar.

Bij de eerste bunker begint Bosse op handen en voeten naar boven te kruipen.

'Pst, Wouter! Moet je dat zien!' glundert Bosse.

Tegen mijn zin klim ik ook de heuvel op.

'Sst!' doet Bosse met zijn vinger op zijn lippen.

Ik kijk over de rand. Beneden liggen vier meiden op hun buik te zonnen op een luchtmatras. Ze hebben de bandjes van hun bikini losgeknoopt en de smalle tanga tussen hun billen hoog opgetrokken. Ze liggen met hun armen naast hun hoofd en hun benen lichtjes gespreid zodat iedere centimeter van hun huid de zonnestralen kan vangen. Hun benen glanzen van de olie. Het middelste meisjes heeft een bruinverbrande rug en bruine armen, maar spierwitte billen.

'Net twee halve manen,' lach ik.

'Sst,' sist Bosse kwaad.

15

Een van de meiden heeft ons gehoord en kijkt naar boven. Ik trek mijn hoofd weg, maar ik ben te laat.

'Hé, daar! Gluurders,' galmt het uit haar mond.

De andere meiden beginnen te gillen. Bosse wil zich uit de voeten maken, maar glijdt uit. Jankend probeert hij overeind te komen. Zijn broek is vuil en is gescheurd aan de zak. De meiden klappen in hun handen en lachen hem uit.

'Bravo! Nog zo'n salto mortale, jongen!'

Ik vind het tijd worden om mij vlug uit de voeten te maken.

'Hé, ben jij niet de broer van Liesl?'

Ik herken in het eerste meisje Moniek, een vroegere klasgenote van mijn zus.

'Hé, Wouter, kom gezellig bij ons zitten. Wij bijten niet, hoor!' fleemt Moniek. De andere meiden giechelen. Ik klim over de rand en laat mij aan de andere kant naar beneden vallen. Moniek sluit de bandjes van haar bikini en gaat rechtop zitten met een handdoek rond haar benen geknoopt. De drie andere meisjes blijven op hun buik liggen.

'Kom je niet tussen ons liggen?' vraagt de blondste olijk en ze geeft een tikje op haar luchtmatras, zoals men een hondje zou lokken. Ze giechelt.

'Maar dan moet je wel je schoenen en je T-shirt uittrekken.'

'En je broek!'

Een van de meisjes steekt haar hand uit en doet een greep naar mijn broekspijp.

'Laat hem,' zegt Moniek. 'Zijn moeder is gisteren bevallen van een baby.'

'O, wat leuk,' roepen de meiden in koor. 'En, werd het een broertje of een zusje?'

Ik haal mijn schouders op en schop tegen het stenen muurtje.

'Heb je dorst?' vraagt Moniek vriendelijk en ze wijst naar een koelbox. Ze draait haar hoofd naar haar vriendinnen: 'De baby werd vijf weken te vroeg geboren.'

'O,' zeggen de meisjes geschrokken.

Tijd voor mij om weg te vluchten!

'Hé, Wouter,' roept Moniek nog, maar ik ben al weg.

'Vreemde jongen,' hoor ik een van de meiden zeggen.

Bosse staat mij op te wachten.

'Heb je die tieten gezien?'

Hij maakt twee kommen met zijn handen en paradeert met zijn borst vooruit door het zand.

'Spast,' sneer ik.

Bosse draait zich om. Er verschijnt een uitdagende grijns op zijn gezicht.

'Het is dus waar! Jouw moeder ...'

'Kop dicht, Bosse!'

Bosse lacht tevreden. Mijn handen in mijn zakken ballen zich tot vuisten. Hoe graag zou ik Bosse op zijn gezicht willen timmeren! Maar ik loop hem voorbij zonder iets te zeggen en begin te rennen. Bosse volgt mij.

'Hé, Wouter, wacht op mij!'

Ik versnel. Bosse kan mij niet bijhouden. Ik verschuil mij een poosje achter een struik en loop dan langs dezelfde weg een stukje terug in de richting van het strand. Eindelijk ben ik verlost van Bosse.

De zee heeft zich teruggetrokken. Enkele dagjesmensen wandelen langs de waterlijn. Koppels, arm in arm, en kinderen met een plastic emmertje in de hand op zoek naar schelpen. Een man waadt op hoge laarzen een heel eind de zee in. Eerst denk ik dat het Goffin is, de vriend van ma, maar ik heb mij vergist. Wanneer ik een eind verder de dijk op klim, zie ik Liesl samen met Goffin voor de viswinkel staan. Goffin draagt een korte broek, witte sportschoenen en een knalrood t-shirt met het logo van zijn geliefde basketballploeg op. Belachelijke kleding voor een man van vijfendertig die juist vader geworden is van een prematuurbaby.

Mijn zus en Goffin. Die twee samen, dat gaat wel. Liesl, die er altijd genoegen in schept om tegendraads te zijn en nooit een discussie uit de weg gaat, wordt beleefd en meegaand als Goffin in de buurt is. Dat hij vijf jaar jonger is dan ma, gescheiden is en een zoon van vijftien heeft, schijnt van geen tel voor haar. Nu ja, Liesl mist natuurlijk een vaderfiguur, denk ik. Ik spuw op de grond en sla een zijstraat in, want ik heb geen zin in een praatje met Goffin en mijn zus.

Op het plein voor de kerk slepen de gemeentewerkers de hekken weg die ze voor de kermis opgesteld hadden. De grond is bezaaid met papier en plastic bekertjes. Ik schop een leeg blikje weg en sla de straat achter de toren in. In de schaduw van de kerk begint een wijk met lage, kleine huizen. Hier wonen bejaarde garnaalvissers, onderwijzers op rust en werkloze havenarbeiders. Ma zegt dat de jonge mensen wegtrekken uit de wijk omdat ze hier geen toekomst meer hebben. Goffin hoopt nog altijd dat de gemeente de huisjes zal opknappen en de wijk zal renoveren. Waarom zijn ze anders begonnen met het opbreken van het wegdek voor een nieuwe riolering? Liesl weet echter te vertellen dat er plannen zijn om hier flatgebouwen te zetten. Benieuwd wie er gelijk krijgt. Ik zou best in zo'n appartement willen wonen. Zo hoog dat ik vanuit mijn slaapkamer de zee kan zien.

Voorlopig woon ik nog met ma en Liesl op de eerste verdieping van nummer achtentwintig. Een gepensioneerde visser en zijn vrouw betrekken de drie kamers van de benedenverdieping. Juist wanneer ik als een dief in de nacht de trap op sluip, vang ik een glimp op van de gestreepte schort van zijn vrouw.

'Wouter, weet je al iets meer van je kleine zusje?'

De buurman staat samen met zijn vrouw in de gang. Ik ga naar boven en sla de deur achter mij dicht zonder te antwoorden.

Er is niemand thuis. Liesl heeft de laatste appels opgegeten en de fles water leeggedronken. Ook de koekjestrommel is leeg. Er liggen alleen enkele verdroogde kruimels in. Ik vis met mijn vingers een augurk uit een bokaal en ga op de bank zitten.

Misschien moet ik mijn vader maar eens opbellen? Ik tik zijn nummer in, maar krijg zijn vrouw aan de lijn. Haar stem klinkt opgewekt en heel dichtbij.

'Nee, jouw vader is niet thuis. Is er iets, Wouter? Zal ik hem straks laten terugbellen?'

Ze ratelt maar door. Ik antwoord met ja en nee, maar vertel haar niets over de baby. Door het raam hoor ik de stem van Goffin.

'Er wordt gebeld,' zeg ik, blij dat ik een einde aan het gesprek kan maken.

Ik kijk naar beneden, maar trek onmiddellijk mijn hoofd weg. Te laat: Goffin heeft mij gezien. Ik hoor zijn zware voetstap op de trap. Met tegenzin laat ik hem binnen.

'Ik kom nog wat spullen van je ma halen. Een kam, haar tandenborstel, haar pyjama en haar horloge.'

Goffin schudt bezorgd zijn hoofd.

'Wie had dit ooit kunnen denken?'

Hij ijsbeert door de kamer als een olifant door een porseleinkast. Even later gaat hij languit in ma's fauteuil zitten. Hij plooit zijn armen achter zijn hoofd en draait zijn nek naar links en naar rechts alsof hij spierpijn heeft. Ik kijk naar de donkere bos haar op zijn borst en onder zijn oksels en naar de zweetvlek op zijn T-shirt.

'Ik moet nog weg,' lieg ik.

'Je hebt je moeder nog altijd niet bezocht. Mooie zoon heeft dat vrouwtje van me!'

Ik heb er een hekel aan dat hij ma zo noemt. Ten eerste is hij niet met haar getrouwd en ten tweede is mijn ma van niemand. Ma trekt haar plan. Ma dopt haar eigen boontjes. Ma blijft altijd zichzelf. Ma is gewoon ma.

'Waarom ga je niet terug naar je vrouw en je zoon?' vraag ik.

Goffin kijkt naar mij alsof hij mij wil vermoorden.

'Ten eerste ben ik al vier jaar gescheiden en ten tweede, beste jongen, houd ik nu eenmaal van jouw moeder. Ik stel dus voor dat jij stilaan wat manieren leert en je in het vervolg wat gedeisd houdt, want wij zullen elkaar nog dikwijls voor de voeten lopen.'

'Ik ga binnenkort weer bij mijn vader wonen,' schep ik op.

Goffin produceert een minachtend lachje.

'Allez, vooruit!'

Hij steekt een sigaret op, maar drukt ze meteen schuldbewust weer uit in de asbak.

'Wanneer de baby eenmaal thuis is, mag ik niet meer roken.'

Goffin friemelt met zijn handen aan zijn T-shirt. Hij zegt niets meer en er valt een onbehaaglijke stilte.

'Mag ik dan misschien jouw sigaretten als je toch niet meer rookt?' bedel ik na een poosje.

Goffin kijkt boos op.

'Oké, ik heb het begrepen. Ik ga al, hoor,' roep ik kwaad.

'Wacht eens even. Ik moest je de groeten doen van je ma,' roept Goffin mij na. 'En vergeet morgen niet om je schoenen te poetsen en een nieuw T-shirt aan te doen voor je naar school gaat. De blikjes fruitsap staan klaar in de ingebouwde kast. En neem boterhammen mee in plaats van koeken.'

In het voorbijgaan pik ik vlug het pakje sigaretten. Goffin is mijn ma niet, denk ik wrevelig.

# DRIE

Pas wanneer het poortje van de voortuin met een smak achter mij dichtvalt, slaak ik een zucht van verlichting. De geur van gebakken worst en uien maakt plaats voor een gezonde zeelucht. Ik maak het slot van mijn fiets los en race in de richting van het strand.

Het is een warme dag voor de tijd van het jaar. Voor de kerk staan de mensen in groepjes met elkaar te praten. Ze knikken en wuiven wanneer ik voorbijkom. Ik draai de hoofdstraat in en rij de dijk op. Met wat geluk vind ik Djekke.

Op zomerdagen, als er veel toeristen zijn, verhuurt Djekke stoelen en zeilen en houdt hij een oogje op de strandcabines. Op andere dagen verkoopt hij handtassen, armbanden en horloges. En 's avonds, als het druk is, werkt hij soms in een van de viskraampjes aan de haven of in de pizzeria op de dijk. Djekke trekt zijn plan. Hij vindt altijd wel een baantje.

Ik fiets eerst tot aan de haven met de plezierboten en de visserssloepen. De zon gaat stilaan onder en de lampions langs de kade flakkeren gezellig boven de kraampjes.

'Djekke niet gezien?' vraag ik aan de mosselverkoper. De man schudt zijn hoofd.

'Wil jij de bakken met de lege schelpen even in mijn wagen zetten?'

'Twee euro,' zeg ik.

'Deal!'

Ik laad de bakken in de bestelwagen en koop met het verdiende geld een stuk gefrituurde schelvis. Daarna rijd ik naar het centrum. Er is veel volk, maar Djekke is nergens te bekennen. Op een van de terrasjes zie ik Moniek met haar vriendinnen. Ze draagt een witte trui met grote gaten. Net een visnet, denk ik. Ze slaat haar hoofd achterover en lacht luid. Pas nu zie ik de grote blonde jongen die naast haar zit.

'Hé, kereltje, kijk eens uit!'

Bijna was ik tegen de bumper van een sportwagen gefietst. Met zulk warm weer en zoveel dagjesmensen lijkt ons dorp te veranderen in een grote parkeerplaats waar de wet van de sterkste heerst.

Ik keer terug naar het begin van de dijk en kijk rond of Djekke er toch niet is. Na tien minuten ontdek ik hem in zijn witte schort achter in de keuken van de pizzeria. Hij staat met zijn rug naar mij en haalt met een lange stok een pizza uit de oven. Ik loop door de dienstingang naar binnen.

'Hoi Djekke!'

'Hello boy!'

Ik pik een olijf en prop een stukje worst in mijn mond. De kok knipoogt. Ik ken hem. Zijn ouders wonen in mijn straat.

'Kom je ons helpen, Wouter?'

'Een margarita en twee quattro staggione,' roept de ober. Hij zeilt voorbij met een plateau met acht volle pinten boven zijn hoofd. Het is snikheet in de keuken. Ik voel de druppels zweet onder mijn T-shirt over mijn rug lopen. De kok zwiert elegant het geknede deeg in de lucht en lacht.

'Wil je ook eens proberen?'

Op een hoek van de tafel mag ik met een bol deeg aan de slag. Het deeg blijft aan mijn handen plakken.

'Strooi er wat meel over,' raadt de kok mij in het voorbijgaan aan.

Als het deeg klaar is, schept Djekke er een volle lepel tomatensaus op. Ik werk de pizza verder af met paprika, ansjovis en stukken artisjok.

'Doe er nog wat mozzarella op,' zegt Djekke voor hij mijn pizza in de oven schuift.

'Moet jij vandaag laat werken?'

Djekke kijkt op zijn horloge. Hij zweet. Zijn huid blinkt alsof ze geolied is.

'Tot negen uur,' zegt hij terwijl hij verder werkt. Wat later haalt hij mijn pizza uit de oven en schuift hem behendig met een hand in een platte doos, terwijl hij met zijn andere hand basilicum op een lasagne strooit. Djekke is een duizendpoot. Ik knoop een touw rond de doos en leg er een lus in.

'Bedankt, Djekke.'

'See you later!'

Met mijn doos in de hand laveer ik mijn fiets tussen de auto's en de bromfietsen. Even later bereik ik het fietspad naast de kustweg. De kustweg loopt hier enkele kilometers parallel met de dijk en kruist een beetje verder de hoofdstraat. In het portiek van de nachtwinkel op de hoek zie ik Joe met enkele van zijn vrienden staan.

Ik herken Cedric, Valentin en Sebastiaan. Ze dragen zwarte kleren en donkere schoenen. Ik ga trager rijden, maar bedenk mij dan en zet het op een racen. Joe en zijn vrienden zijn laatstejaars, terwijl ik nog maar naar het derde ga. Ze lijken groot en ongenaakbaar. Maar Joe heeft mij toch gezien.

'Hallo Wout,' wuift hij.

Ik zwaai terwijl ik verder fiets. De hele tijd heb ik het gevoel dat Joe mij nakijkt tot hij mij niet meer kan zien.

Liesl is nog altijd niet thuisgekomen. Ik eet in mijn eentje de helft van de pizza op. Beneden kijken de buren naar het nieuws. Hun tv staat zo luid dat heel de straat kan meeluisteren. Er is een kind ontvoerd en een vliegtuig gekaapt. En onze eerste minister is op zoek naar een miljard euro. Tjongejonge toch, zou ma zeggen. Ik pluk alle champignons van de pizza voor ik hem in de ijskast zet. Daarna drink ik nog een halve liter melk en nip van het likeurtje van ma.

Wanneer ik terug op mijn fiets spring, zie ik door het raam de buurman in zijn short en onderhemd met een pint op de bank zitten. Zijn vrouw is voor de tv in slaap gevallen.

Ik hoop Djekke in de omgeving van de ramp te vinden. Op de ramp is Djekke een heuse ster. Daar is hij voor de mensen niet zomaar een neger, maar wordt hij ineens die fantastisch knappe, lenige skater.

Al vanuit de verte zie ik hem een perfecte salto in de lucht maken. De omstanders klappen enthousiast in hun handen. Hop! Hop! Hop! Djekke komt op snelheid en draait nog een schroef voor hij veilig op de ramp landt. Iedereen vergaapt zich aan hem. Wat een held!

'Hoi Djekke,' wuif ik.

Djekke maakt nog een supersprong en komt dan met zijn skateboard in de hand naar mij gelopen.

'Hi boy!'

Samen wandelen we de dijk op. Aan het eind van de dijk staat een houten bank. We gaan naast elkaar op de rugleuning zitten en kijken over de zee in de verte. Vandaag is Djekke zwijgzaam en stil. Het is al donker en er is niemand meer op het strand. Over het water hangt een glinsterend licht dat uit de zee omhoogschiet.

'Als ik genoeg gespaard heb, wil ik naar de overkant,' zegt Djekke plotseling.

'Wat is er aan de overkant, Djekke?'

Het wit in Djekkes ogen glanst.

'Vrienden, familie …'

Ik denk na.

'Geloof je niet, Djekke, dat er aan de overkant net zo'n gast als jij zit die op zijn beurt droomt van een overtocht, maar dan naar hier, naar het vasteland?'

'Hé, boy!' Djekke geeft mij een vriendschappelijke por tussen mijn ribben. Ik doe alsof ik mijn evenwicht verlies en rol met veel getier van de bank. Djekke lacht. Ik kijk op mijn horloge.

'Oei, ik moet naar huis. Morgen begint de school.'

'Oké, boy, maak jij maar vlug je boekentas klaar.'

'Misschien tot morgen, Djekke,' roep ik nog.

'Bye,' lacht Djekke.

# VIER

Liesl is gisterenavond laat na mij thuisgekomen en heeft een foto van een baby op de kast gezet. Nu lepelt ze zonder iets te zeggen haar bord cornflakes leeg terwijl ze schijnbaar heel geïnteresseerd in een meidenblad bladert. Ze negeert mij en doet alsof ik lucht voor haar ben. Ik zet mijn walkman op en talm net zo lang met eten tot ik zie dat mijn zus aanstalten maakt om op te stappen. Zonder iets te zeggen trekt ze de deur achter zich dicht. Een minuut later hoor ik haar praten met de onderbuur. Ik druk mijn oor tegen de deur, maar kan niets verstaan van wat ze zeggen. Wanneer ik Liesl door het raam eindelijk de straat zie oversteken, neem ik de foto in mijn hand.

Alle baby's zien er na de geboorte hetzelfde uit: een rood hoofd met enkele plukken haar. Deze baby heeft geen haar en ziet eruit alsof hij uit de droogtrommel komt. Mijn zusje zonder haar heet Maeva. Proficiat, Goffin!

Wanneer ik de foto terug wil zetten, valt er een kaartje op de grond. Ik raap het op en staar naar een tekening van een ooievaar met een kraaiende baby in zijn bek. Ik draai de kaart om, lees mijn naam. *Wouter: Maeva's grote broer!*

Ik kleed mij aan en sluip de trappen af. Mijn fiets hangt met een dikke ketting aan het hek. Ik veeg het zand van het zadel en bind mijn rugzak vast.

Liesl staat samen met een groepje vriendinnen te praten voor de krantenwinkel. Mijn zus zit in het vijfde jaar handel van het

27

technisch instituut in het centrum van de stad. Ik doe alsof ik haar niet zie en fiets de andere kant uit. Mijn school ligt op het kruispunt van de kustweg en de stadsring. Het is een grote school met zes afdelingen en wel vijftienhonderd leerlingen. Een van onze ministers heeft hier vroeger gestudeerd en de zoon van een bekende schrijver heeft hier zijn diploma behaald. Hun foto's hangen boven de tafels in de eetzaal. Er is ook een internaat aan onze school. Daar logeren leerlingen uit heel het land. Zonen en dochters van rijke ouders en kinderen die wat orde en regelmaat nodig hebben omdat hun ouders 's morgens vroeg weg zijn en 's avonds laat moeten werken.

Ja, ik ben trots op mijn school. Maar ik ben blij dat ik iedere avond weer naar huis kan. En weer of geen weer, ik fiets de zestien kilometer graag. Het liefst fiets ik alleen. Eerst langs het kanaal, waar het pad zo smal is dat je er amper met z'n tweeën naast elkaar kunt rijden, en daarna over het oude fietspad dat door een grasberm gescheiden is van de geasfalteerde weg. Op dat stuk kan ik, zelfs met tegenwind, wel vierentwintig kilometer per uur halen.

Vandaag rijd ik zonder haast. Op de eerste schooldag gaat de poort pas om tien uur open. Het is een warme, zonnige dag. Het gras is helgroen en langs de kant van de weg bloeien blauwe klokjes en rode papavers. Vogels zitten naast elkaar op de elektriciteitsdraden en stijgen boven mijn hoofd op. Ik fluit. Af en toe word ik ingehaald door een groepje oudere jongens. Ze laten hun bellen rinkelen en mopperen als ik niet vlug genoeg plaats voor hen maak.

Op de speelplaats is het een grote chaos. Kleine spichtige jongens en meisjes, pas de basisschool ontgroeid, wachten aan de hand van hun vader of moeder tot de bel gaat. De groten staan in kliekjes onder de bomen. Ik kijk rond of ik Dieter niet vind. Dieter zat vorig jaar in mijn klas. Als ik hem niet had laten spieken, had hij vast en zeker het derde jaar niet gehaald. Ik wandel naar het midden, maar word opzij geduwd door een bende kerels met hun motorfietsen. Ze zijn groter en breder dan ik. Zeker laatstejaars.

'Hé, Wout! Zit jij in de klas van Sanctorum?'

Een jongen klopt op mijn schouder. Het duurt even voor ik in de gebruinde en gespierde blonde kerel Dieter herken.

'Naar welke klas ga jij?' vraag ik.

'Geen idee. Ik zal het straks wel horen wanneer de directeur de namen van alle leerlingen klas per klas afroept. Ik hoop maar één ding, dat ik niet bij meneer Kossler zit!'

Dieter heeft zich omgedraaid. Nog voor ik iets kan antwoorden, wordt hij opgeslokt door een groep gebruinde, atletische kerels.

'Ik zie je straks nog wel,' gebaar ik.

Eerst moet ik op zoek naar een veilige plaats voor mijn fiets. Vanmiddag zullen we allemaal een nummer krijgen voor een plaats in de fietsstalling, maar nu zet iedereen zijn fiets lukraak achter de haagbeuk of tegen de gevel.

'Uit de weg, smurf!'

Een grote jongen met een wilde haardos vecht zich met zijn brommer een plaats tussen de bomen.

'Prachtig stuk,' en ik klak bewonderend met mijn tong terwijl ik naar zijn blinkende motorfiets wijs.

'Dit is niets voor kleine snotapen!'

De jongen lacht een beetje smalend.

'Erik!'

De langgerekte e uit een meisjesmond doet brommermans opkijken. Een paar bruine meisjesarmen slingeren zich rond zijn heupen en een bosje kortgeknipte, door de zon gebleekte haren verschijnt achter zijn rug. Ik herken de trui met het visgratenmotief van Moniek.

'Hé, Moniek!'

Ik grijns, maar Moniek heeft geen belangstelling voor mij. Ze trekt Erik het gangetje naast de toiletten binnen en kust hem lang op de mond, hoewel dat in de school verboden is. Maar de surveillant heeft niets gezien. Hij wandelt heen en weer voor de ingang en ontfermt zich over de eerstejaars. Dat zijn de meisjes en jongens in hun nieuwe kleren met hun veel te zware boekentas.

'Kom,' zwaait de surveillant. 'Kom, hierlangs!'

Ik wandel in mijn eentje naar de andere kant van de speelplaats. Dieter is nergens meer te bekennen. Ik mis mijn zus. Liesl is hier vroeger ook naar school gegaan, maar aan het eind van het derde jaar oordeelde de klassenleraar, ondanks luid protest van ma, dat Liesl maar beter kon overschakelen naar het technisch onderwijs.

Wat is het warm! Ik trek mijn trui over mijn hoofd, knoop hem rond mijn schouders en slenter zonder haast naar de computerklas. Naar het schijnt zou dit lokaal tijdens de vakantie uitgerust zijn met dertig spiksplinternieuwe computers. Ik gluur door het raam naar binnen, maar alle toestellen zijn afgedekt met een hoes. Het glas weerspiegelt de zacht ruisende bladeren van de es op de speelplaats. Onder de boom zitten de meisjes naast elkaar op de banken. Grieten in korte rokken of brede, laaghangende broeken die bij iedere beweging hun navel laten zien. Mollige meiden in strak T-shirts met dunne bandjes en roze schoenen met blauwe veters. Magere meisjes met gekleurde armbandjes en rinkelende oorbellen. Kakelende kippen met een tattoo of een navelpiercing, die je alleen maar kunt zien als ze zich bukken of hun armen opheffen. Nee, meisjes interesseren mij niet. Geen sikkepit! In een grote boog loop ik om hen heen.

Een beetje verder staan de pingpongtafels. Tijdens het jaar is het hier altijd rennen en duwen om een plaats te veroveren, maar nu spelen er alleen laatstejaars die eraan gedacht hebben om al op de eerste schooldag hun batjes mee te brengen. Ik blijf staan, in bewondering voor hun behendige spel. Het balletje vliegt van links naar rechts. Links, rechts, links, rechts. Oei, het balletje raakt het net. Het huppelt met vrolijke sprongen over de tafel en springt mijn kant op. Geen nood, ik sta paraat om het op te vangen. Maar om een onverklaarbare reden komt het recht op mij af en botst tegen mijn buik. Ik buk mij, grabbel tussen de schoenen en de boekentassen en zoek onder de rugzakken.

Au! Iemand heeft op mijn hand getrapt!

Erik staat voor mij en houdt het balletje tussen duim en wijsvinger. 'Zocht je dit?'

'Oei,' zegt Moniek met haar hand voor haar mond.

Mijn vingers zijn gekneusd. Mijn oren gloeien. Wanneer ik opkijk, kruis ik de blik van Joe. Ik verbijt de pijn.

'Hallo, Wout! Al zo druk in de weer op de eerste schooldag?'

Joe ziet er piccobello uit in zijn donkerblauwe trui.

'Weet je al bij welke leerkracht je zit? Zo'n bolleboos als jij koos zeker voor Latijn?'

Joe is nu naast mij komen staan. Alle meisjes kijken naar ons. Ik ben blij dat ik van zo'n populaire jongen aandacht krijg.

'Latijn ligt mij niet zo. Daarom heb ik gekozen voor wetenschappen,' beken ik aarzelend.

'Natuurlijk,' verbetert Joe zichzelf. 'Hoe kon ik mij zo vergissen? Latijn is een dode taal. Lang leve de fysici en de scheikundigen! Ja, ik had moeten weten dat jij je later voor de wetenschap wilt inzetten.'

Nou, een dokter of een ingenieur had ik nooit in mezelf vermoed. Maar misschien heeft Joe wel gelijk. Ik ben inderdaad een kei in het tekenen van oorlogstuig en het uiteenhalen en weer ineenknutselen van oude computers en radio's.

'Ja, Wout, jij gaat het later nog ver schoppen, hoor,' vervolgt Joe.

De meisjes spitsen hun oren. Joes vrienden hebben mij nu ook opgemerkt, maar mengen zich niet in ons gesprek. Ze staan met hun handen in hun zakken en kijken zwijgend over de speelplaats.

'Tussen haakjes, waar heb jij gisterenavond gezeten?' vraagt Joe langs zijn neus weg.

'Ik ben samen met Djekke naar het strand gewandeld.'

'Djekke? Djekke? Een rare naam! Dat is toch geen jongen die op onze school zit?'

Joe draait zijn rug naar mij en kijkt peinzend boven mijn hoofd in de verte. Heb ik iets verkeerds gezegd?

Achter de ramen van de eerste verdieping zie ik nu leraars heen en weer wandelen. Ze begroeten elkaar met een zwaai of een handdruk, sommigen zelfs met een kus. Ik ontdek ook de directeur, een korte gedrongen man met een fijn blond snorretje. Hij drukt op de bel. Ik vergeet Joe en Erik en Moniek, en dring samen met de anderen tot voor het houten podium dat speciaal voor deze gelegenheid werd opgetimmerd.

'Beste leerlingen.'

De directeur pauzeert even totdat het volledig stil is.

'Beste leerlingen. Ik heet jullie hartelijk welkom in onze school. Voor velen van jullie is het de eerste keer dat jullie hier samenkomen, voor anderen wordt dit de laatste spurt op weg naar het diploma. Enfin, dat hopen we, nietwaar?'

De directeur kijkt even in het rond en wacht. Hier en daar stijgt er een zucht op en hoor ik gegniffel.

'Vandaag tellen we bijna vijftienhonderd leerlingen in onze school,' vertelt hij niet zonder trots. 'Jonge mensen, op weg naar hun toekomst. Jongens en meisjes op wie we trots willen zijn. Wij, de leraren, de mensen van het secretariaat en ikzelf zijn blij dat wij jullie mogen begeleiden op deze mooie, maar niet altijd even gemakkelijke tocht naar de volwassenheid. Ik hoop dan ook dat we in het volste vertrouwen zullen kunnen samenwerken, zodat jullie jaren later nog met veel plezier aan de tijd in ons instituut zullen kunnen terugdenken.'

'Bla, bla, bla!'

Dit is bijna net dezelfde toespraak als vorig jaar. De jongste leerlingen luisteren nog vol ontzag, maar de ouderen praten zacht verder met hun rug naar het podium. Ik zie Moniek naast Erik staan. Ze fluistert iets in zijn oor. Erik lacht luid. Joe en zijn vrienden lijken van de aardbodem verdwenen te zijn. Dieter staat wat verder te fluisteren met enkele meisjes die vorig jaar nog een paardenstaart hadden en een beugel rond hun tanden, maar die nu bruinverbrand na een zonnige vakantie staan te pronken met een volmaakt gebit en een modern kapsel. Ik duw en wring tot ik bij het groepje sta en stoot Dieter met mijn elleboog aan.

'Welke richting koos je?'

'Latijnse natuurlijk. Wat had je gedacht?'

Dieter kijkt verontwaardigd.

'Hé, wat een stuk!' wijst hij plots. Ik volg zijn blik en zie een mollig meisje met donkerbruine ogen en een eigenwijze wipneus in een rond gezicht en een donkere pony die half over haar ogen valt. Tja, over smaak valt niet te redetwisten.

'Sst, de naamafroeping begint,' klinkt het nu van alle kanten en iedereen draait zijn hoofd in dezelfde richting.

De directeur leest nu een voor een de namen alfabetisch en per klas van een blad papier af. Eerst de allerkleinsten. Acht klassen eerstejaars volgen gedwee in een ordelijke rij hun leraar. Dan de tweedejaars. Dat gaat snel! Het is al vlug de beurt aan de derdes, mijn jaar. Ik ga op mijn tippen staan.

'Aelvoet, Dupont, Simonet, Vandekeere.'

Twee van de meisjes uit ons groepje vertrekken.

'Zaman.'

De leerlingen van de A-klas volgen hun klassenleraar. De directeur leest vlug en onduidelijk. Niemand vraagt iets, niemand spreekt hem tegen. Alle leerlingen zijn bang van de gezette kleine man.

'Caljé, De Pauw, Dieter Van de Velde.'

Dieter gespt zijn rugzak rond zijn schouders en baant zich een weg naar voren.

'Amélie Van de Wyngaert.'

Het donkerogige meisje dat hij daarjuist aangewezen heeft, volgt hem. Ik zie ze naast elkaar lopen. Bruinverbrand. Eenzelfde tred, denk ik verbaasd.

'Dat waren die van de Latijnse,' zegt een klein meisje dat naast mij staat vol bewondering.

'Een dode taal,' mompel ik.

Het meisje kijkt verontwaardigd en gaat een eindje van mij af staan.

De helft van de speelplaats is nu leeg. De leerlingen van de klassen B, C en D werden afgeroepen en nu is het de beurt aan het vierde jaar. Mijn naam werd niet genoemd. Stond ik niet op de lijst? Ik begin te zweten. Moet ik nu kordaat naar voren stappen en de directeur onderbreken? Moet ik hem beleefd op deze vergetelheid wijzen of kan ik beter wachten tot de laatste leerling naar zijn klas is verdwenen? Ik besluit te wachten.

Wanneer iedereen weg is, kan ik rustig mijn woordje plaatsen. Een directeur die niet luid genoeg praat moet volgens mij een micro gebruiken, zodat hij voor iedereen verstaanbaar wordt.

De vijfdes zijn al aan de beurt. De Grieks-Moderne talen volgt als een ordeloze groep een lange slungelachtige leraar naar hun lokaal. Er zijn niet minder dan acht vijfdes en de naamafroeping lijkt eindeloos te duren. Ik sta in mijn eentje tegen de doelpaal. Niemand kijkt naar mij. Niemand vraagt zich af waarom ik hier sta.

De leerlingen die nu nog overblijven, zijn allemaal laatstejaars. Ze staan niet te dringen voor het podium, maar zitten op het muurtje of leunen nonchalant met hun ellebogen op de vensterbank zonder een spoor van nieuwsgierigheid of onrust. De directeur wipt van het podium en loopt met uitgestrekte armen op hen af.

'Hoi, mannen! Een goede vakantie gehad?'

'Ja, en u, meneer?'

'Wij moeten altijd maar werken, nietwaar,' lacht de directeur.

'Wie is onze klassenleraar?' zeuren de meisjes.

De directeur haalt een lijst uit zijn zwarte map en leest alle namen af. Er klinken o's en ahs. De klassenleraren, daarjuist nog vrolijk ginnegappend, maken zich klaar.

'Komaan, mannen. Goed begonnen is half gewonnen!' zegt een van hen.

Ik zie Cedric met een zwaai zijn rugzak over zijn schouder gooien. Even later volgt Joe. Valentin en Sebastiaan komen laatst. De klas slentert druk taterend achter de leraar aan. Ik ben nu de enige leerling op de speelplaats. Ik schraap mijn keel, pak alle moed bijeen en stap op de directeur af.

'Hé, meneer!'

De directeur wrijft met een zakdoek het zweet van zijn voorhoofd. Hij kijkt niet op. Hij tikt een nummer in op zijn gsm en beent, de hoorn tegen zijn oor gedrukt, met grote passen naar de deur. Ik loop hem achterna.

'Meneer! Hé, meneer!'

Mijn stappen galmen door de gang, maar mijn stem klinkt krampachtig. Even denk ik nog dat de directeur mij gehoord heeft, want hij blijft staan. Maar in plaats van zich om te draaien, haalt hij een sleutel uit zijn zak, opent een deur en verdwijnt met korte, afgemeten passen in een lange, donkere gang. Moet ik nu naar het secretariaat gaan?

Het secretariaat van de school is in het andere blok, voorbij de bibliotheek en de refter, vlak naast de ingang. Daar is de balie voor leerlingen die te laat komen of nog een achterstallige rekening moeten vereffenen of leerlingen die een speciale toelating hebben om de school vroeger te verlaten, bijvoorbeeld om naar de tandarts of de dokter te gaan.

'Maar baasje toch! Moest jij niet al lang in je klas zitten?'

Met gefronste wenkbrauwen kijkt de secretaresse van haar werk op.

'Mijn naam werd niet afgeroepen!' roep ik verontwaardigd en veel luider dan ik bedoeld had.

'Zo, je hebt je naam dus niet horen afroepen? In het vervolg moet je wat minder praten en wat beter opletten. We hebben hier nog ander werk te doen, hoor! Vertel me nu maar hoe je heet, dan kan ik je naam in het register opzoeken.'

'Wouter Vleymincxk,' zeg ik.

'Wil je dat nog eens herhalen, maar dan luid en duidelijk?'

Ik voel mij verongelijkt. Ten eerste ben ik geen baasje. Ten tweede heb ik opgelet en niet gepraat. En ten derde heb ik wel goed gearticuleerd. Niet zoals de directeur, die zo onduidelijk praat dat niemand hem kan verstaan.

'Je zit in klas drie C, de klas van meneer Kossler. Zal ik met je meegaan, baasje?'

De secretaresse heeft een kort, mouwloos bloesje met franjes aan. De bovenste twee knoopjes staan open.

Ik knik van nee, zeg dat dit niet nodig is en ren naar buiten.

'Pas op voor de glazen deur,' roept ze mij nog na.

Te laat! Mijn neus heeft al hardhandig kennisgemaakt met het glas. De andere twee secretaressen duiken lachend weg achter hun computer. Nijdig geef ik een stamp tegen de stalen onderkant van de deur.

Ik ren diagonaal de speelplaats over. Door de ramen zie ik in alle klassen de leerlingen met hun neus in hun boeken zitten. De leraar staat vooraan en schrijft op het bord. In één klas staan de banken in een cirkel. De leraar zit er nonchalant boven op zijn lessenaar. Enkele leerlingen zitten op de grond. Er wordt gepraat en gelachen. Dit is de klas van meneer Sanctorum, los en vrolijk in de omgang, maar streng als het om de les gaat. Iedereen wil maar wat graag bij hem in de klas zitten.

Het lokaal van meneer Kossler daarentegen is een toonbeeld van strakheid en orde. Ieder voorwerp heeft er zijn vaste plaats: de gradenboog aan een haak in de muur, de passer evenwijdig met de lat op de lessenaar, alle jassen aan de kapstok en de krijtjes netjes per kleur in de doosjes. Hier tel ik zes rijen met vier banken. Een bank op de laatste rij is leeg. Mijn bank, veronderstel ik en ik steven, na een korte tik op de deur, met gebogen hoofd recht op de lege plaats af.

'Hola! Hola! Alleen boeren komen binnen zonder te kloppen en zich te excuseren,' brult Kossler verstoord. 'En jij komt zomaar de eerste dag al te laat? Een mooi begin van het schooljaar is dat! Hoe is jouw naam alweer?'

'Maar meneer …' probeer ik.

'Terug naar buiten, jongen. En kloppen zoals het hoort. En vergeet je niet te excuseren als je weer binnenkomt.'

Ik moet terug naar buiten en mag pas binnenkomen als de leraar 'wie is daar' heeft geroepen. Kossler wacht opzettelijk lang. Eindelijk mag ik binnenkomen. Twee meisjes zijn van plaats verwisseld en mijn plaats wordt rechts vooraan.

'Zodat ik je goed in het oog kan houden,' grijnst Kossler nog.

Wanneer hij zich omdraait, veeg ik met mijn mouw zijn speeksel van mijn bank. Wat een driftkikker zeg! Ik heb al vanaf het eerste ogenblik een hekel aan deze man.

Plots verlang ik naar de stem van ma. Ma zou vast en zeker ook een hekel hebben aan deze leraar als ze hem zou kennen. Het is woensdag. Misschien moet ik ma vanmiddag toch maar eens een bezoekje brengen.

# VISJ

Ma zit rechtop in bed in een lelijke, gele pyjama die ik nog nooit heb gezien. Ma lijkt niet op ma die ramen zeept en bomen snoeit, noch op ma die met blote handen levende palingen stroopt. Ma lijkt klein en een beetje verdrietig. Maar ze is blij met het stuk chocolade dat ik voor haar heb meegebracht en ze zegt niets over het feit dat ik haar de voorbije dagen niet heb bezocht.

'Dag ma!'

'Kom binnen, jongen, en doe de deur achter je dicht,' zegt ma zacht.

Ik geef haar een vluchtige kus op haar wang.

'En, vertel mij eens: hoe was jouw eerste schooldag?'

Ma slaat het laken opzij en ik kruip heel dicht tegen haar aan, zoals ik thuis altijd mag op zondagochtend, als Goffin er niet is.

'Onze klassenleraar is een nerd, ma. Hij draagt een bril met een dik zwart montuur en kijkt altijd kwaad. Ik zit vooraan in de klas en als hij lesgeeft, is heel mijn bank nat!'

'Nu overdrijf je toch, niet?'

'En hij draagt donkere schoenen met veters en een heus pak met een das.'

'Een echte heer dus, die leraar,' meent ma. 'Zorg maar dat je goed je best doet en altijd beleefd tegen hem blijft.'

Ik trek een pruillip. Ma kiest de kant van het gezag.

'Nu trek je toch geen pruillip, Wouter?'

Betrapt! Ma weet alles. Ma hoort alles. Ma ziet alles.

'Wil je je zusje niet zien?' vraagt ma onverwacht.

'Nou, dat zusje …'

Ma zwijgt. Ma kan dagenlang zwijgen en mokken. En Liesl ook.

'Weet je nog ma, die jongen voor wie je vorig jaar na het lerarentoneel pannenkoeken hebt gebakken?'

'Dieter,' knikt ma.

'Wel, Dieter heeft voor de Latijnse gekozen.'

'Hm,' snuift ma. 'Die jongen zal een kei zijn in talen, zeker?'

'Ben ik niet verstandig, ma?'

'Jongen toch!'

Ma wrijft met haar handen door mijn haren.

'Jij hebt het verstand van je moeder, maar het hart van je vader.'

Ma schudt zachtjes haar hoofd.

'Er zit een meisje in zijn klas met een wipneus en een donkere pony. Zou ze op Dieter vallen?'

'Hoe kan ik dat nu weten, Wout?'

Ma kijkt mij van opzij aan.

'Jij bent toch niet verliefd, hè? Voor de liefde heb je nog tijd genoeg, hoor!'

Ma lacht stilletjes voor zich uit.

'Ik denk dat er op de deur wordt geklopt, ma.'

'Nog bezoek?'

Het is de verpleegster. Ze is nog heel jong. Ik vraag mij af of ze onder haar uniform nog andere kleren draagt.

'Wel, wel, wel. Is dit nu die grote jongen waar je ma de hele dag over opschept? Je zusje zal blij zijn met zo'n knappe grote broer. En wat een mooie naam hebben jullie voor haar gekozen!'

'Hoe gaat het nu met mijn kleine meid,' vraagt ma angstig.

De verpleegster komt op de rand van het bed zitten.

'De eerste dagen zijn erg belangrijk voor een prematuurbaby. Maar jouw dochtertje is een vechtertje, hoor!'

'En jij, knappe kerel, ben jij al gaan kijken naar je zusje?'

'Deze grote jongen is bang voor injectienaalden en katheters,' zegt ma vergoelijkend.

Ik heb mijn schoenen niet uitgedaan en lig naast ma met mijn voeten uit het bed. Ik schaam mij een beetje en trek het laken tot onder mijn kin.

'Weet je wat,' zegt de verpleegster en ze staat recht. 'Gaan jullie maar lekker gezellig met z'n tweetjes naar de babyzaal.'

Nu ben ik er zeker van dat ze onder haar uniform alleen maar een bh en een slipje aanheeft. Gehoorzaam schuift ma haar voeten in haar blauwe pantoffels.

'Niet te vlug,' zegt de verpleegster. 'Denk aan de draadjes.'

De draadjes? Het lijkt alsof de twee vrouwen in een geheime code met elkaar praten. De verpleegster knipoogt naar mij alsof ze mijn gedachten kan raden en houdt de deur voor mij open. Ik bloos als een kleine jongen.

Voetje voor voetje schuift ma door de gang. Op de deuren van de andere kamers hangen leuke geboortekaartjes.

'*Lien, Sven, Tine en Robbe,*' lees ik hardop. Ma heeft geen interesse in de kaartjes. Ma is niet ma die Liesl een oorvijg geeft als ze te laat thuiskomt, noch ma die de buurman afblaft als hij weer eens in de gang op wacht staat. Ma is veranderd in een tobberige moederkloek. Waar ligt die baby van haar en Goffin?

'Neonatologie,' lees ik hardop.

'De afdeling voor de te vroeg geboren baby's,' knikt ma en ze duwt voorzichtig de deur open. Plots sta ik midden in een kamer met een zestal couveuses. In de bedjes liggen piepkleine baby's. Drie van hen zijn met slangetjes en draadjes verbonden met een monitor. Ma wijst de kleinste van de drie aan.

'Ja, ze zal haar grote broer later nodig hebben,' zegt ma.

Ik kijk naar het piepkleine wezentje met de bijna doorzichtige huid en het gerimpeld gezichtje.

'Ze ziet nog altijd een beetje geel, vind je niet?' mompelt ma teleurgesteld. De baby maakt een schrikbeweging.

'Mag ik haar Eefje noemen, ma?' vraag ik. 'Ze is nog zo klein.'

'Hé?' aarzelt ma.

'Kunnen wij samen even rustig praten, mevrouw?'

Er staat een dokter in een witte jas naast ma. Ze kijken samen naar de baby. Ma lijkt ongerust.

'Ik ga mee,' beslis ik ferm.

Ma houdt mij niet tegen.


In de spreekkamer staan twee stoelen. De dokter heeft het dossier van mijn zusje al klaargelegd. Ma gaat zitten en friemelt zenuwachtig aan de zoom van haar pyjama.

'Eerst het goede nieuws, mevrouw. De baby is niet meer aangesloten op het beademingstoestel en ademt nu zelfstandig,' steekt hij van wal.

'En de lever?' vraag ma.

Ik voel hoe ze zich schrap zet.

43

'De lever is bij premature baby's vaak nog onrijp. Het proces om afbraakproducten uit het bloed te verwijderen is vertraagd. Daarom ziet uw kindje nog wat geel. De behandeling bestaat erin de baby onder de lamp te leggen.'

Ma knikt zwakjes, maar toch opgelucht.

'Wanneer mag mijn zusje naar huis?' vraag ik.

'Ja, wanneer mag onze kleine meid naar huis?' vraagt ma.

De dokter kruist zijn vingers en neemt alle tijd om te antwoorden.

'We moeten de baby nog een tijdje blijven observeren. Vroeggeborenen hebben de eerste weken vaak te kampen met specifieke problemen: ademhalingsmoeilijkheden, een slecht werkende lever, lage bloeddruk en een open ductus. Daarom is het van het allergrootste belang dat wij de gezondheidstoestand van de baby de volgende dagen uur na uur blijven volgen. Gelukkig is er de laatste jaren op medisch gebied heel wat vooruitgang geboekt en is de kans op verwikkelingen bij prematuurtjes heel wat kleiner geworden.'

'Wat is een open ductus?' vraagt ma zwakjes.

Geduldig legt de dokter alles uit. Hij spreekt over de longslagader en een niet-gesloten bloedvat, over ademhalingsproblemen en hartruis. Ik kijk naar ma. Ze huilt.

Ik ren. Ik ren en ren en ren. Door de duinen, over het strand, langs het water tot ik niet meer kan. Ik ren. Ik spring over kwallen en vermijd zieltogende krabben. De schelpen verpulveren onder mijn voeten. Ik proef zout in mijn mond en voel zand in mijn ogen. Een scherpe punt rijt mijn teen open. De golven komen langzaam aangerold en spoelen het bloed van mijn voet.

De zee is woelig en rusteloos. In de verte loeit de misthoorn en het licht van de vuurtoren zoekt het water af. Vanuit de zee stijgt een nevelsliert op. Nog even, weet ik uit ervaring, en het dorp, de zee, de duinen en de weg zullen verdwijnen in een dik pak mist.

Het is al bijna zover. Ik kan nog amper de omtrek van het staketsel zien. Maar het grootste gevaar loert niet hier. Hier komt de zee, zelfs bij onweer en storm, nooit tot aan de dijk. Tweehonderd meter verder maakt de dijk echter een scherpe bocht en daarachter beuken de golven bij vloed tegen de versterkte wallen en overspoelen ze de kustweg als de storm heviger wordt. Twee ijzeren trappen vormen de laatste toevlucht voor de wandelaar die het lot heeft getart en zich niet op tijd over het strand uit de voeten heeft gemaakt. De auto's die op de kustweg rijden, moeten dan via het achterland een omweg maken en vier kilometer verder naar de hoofdstraat van het dorp afzakken. Vandaar heeft men weer zicht op een maagdelijk en eeuwig droog blijvend deel van het strand.

Vandaag ben ik alleen met de zee. Ik en de zee. Ik ren en ren en denk aan piepklein Eefje. Tien kleine vingertjes, tien kleine teentjes, een hoofdje zonder haar en armen en beentjes die een schrikbeweging maken bij ieder hard geluid. Ma zat nog altijd naast het glazen bedje toen ik afscheid van haar nam. Bleke ma, in haar brede, lelijke, knalgele pyjama.

Een gordijn van dikke, witte mist hangt laag over het schuimende sop en verspreidt zich landinwaarts. Ik ben niet bang. Ik ben hier geboren en ken de zee op mijn duimpje. Ik herken ieder geluid, gefluister, gemurmel en geraas. Ik ga op mijn gehoor af. Volgens mij komt het gevaar minder vanuit de zee dan vanuit het land, waar een auto in de dikke mist in volle vaart zijn bocht kan missen en over kop kan gaan zonder dat je hem hebt zien aankomen.

Een witte muur belemmert mij nu het zicht. Het licht van de vuurtoren schijnt zwak. Rondom mij is alles wazig. Ik volg nog altijd de waterlijn in de richting van het dorp. De aanwezigheid van vochtig zand is een teken dat ik eindelijk de bocht heb bereikt. Daar is de trap. Ik klauter naar boven. Net op tijd! De golven komen torenhoog aangerold en de zee beukt al tegen de onderste trede en spettert mijn broekspijpen nat.

Boven op de trap weet ik een bank staan. Ik ga op mijn gevoel af, voel het hout, zie de wit-en-blauw geschilderde planken en laat mij erop neervallen.

'Hello, boy!'

Ik zie twee voeten, voel een hand en kijk in het wit van Djekkes glanzende ogen.

'Verdomd, Djekke. Wat doe jij mij schrikken, zeg!'

Djekke leunt met gespreide armen over de rugleuning van de bank en lacht.

'Kom erbij, boy! En vertel die goeie, ouwe Djekke maar wat er scheelt.'

'Sigaret, Djekke?'

Ik houd Djekke het pakje voor dat ik van Goffin gepikt heb. Het pakje is vochtig. Maar Djekke legt zijn hand op de plaats van zijn hart en maakt een afwerend gebaar.

'Niks voor mij, zo'n stinkstok, boy! Deze jongen hier wil binnenkort naar de overkant.'

Djekke klopt zich op de borst.

'Ik ga mee!'

'Hé, wat is er met jou aan de hand?'

'Ik heb een zusje. Heb jij een zusje, Djekke?'

Djekke gaat op zijn knieën op de bank zitten.

'Djamba, djamba, ya-ye,' zingt hij en hij roffelt op het hout als op een tamtam.

'Djamba, djamba, ya-ye.'

Djekke zingt heel luid tegen de wind in.

'Wat zing je, Djekke?'

Djekke wiegt nu met zijn hoofd heen en weer.

'Wouter kreeg een zusje. De maan en de sterren zullen haar goedgezind zijn. O, bid voor haar, bid voor hen die het leven schonken aan dit mensenkind,' zingt hij.

Djekke zoekt een zakdoek.

'Hier, boy, snuit je neus.'

'Moet jij soms huilen, Djekke?'

'Zo, boy kreeg dus een zusje?' mompelt Djekke stilletjes voor zich uit.

'Ja,' zeg ik en ik wijs met twee handen de grootte van een meeuw aan.

'Wie wil leven, vecht, boy. Ik ben een vechter, jij bent een vechter. Jouw zusje wordt later misschien een ballerina of een atlete.'

De mist daalt neer en zweeft in flarden over de dijk. Djekke begint weer te zingen.

'Ik zing voor jou het lied dat mama Missoko altijd zingt als er een kind geboren is. Hiermee stemt ze de goden gunstig.'

Djekke legt zijn hand op mijn hand.

'Hé, boy! Je bent helemaal koud en doorweekt. Je moet dringend warme, droge kleren aan. En in bed voor je ziek wordt. Kom, ik zal je naar huis brengen.'

Djekke trekt mij met twee handen recht.

'Niet te vlug, Djekke! Ik heb mijn teen bezeerd!'

'Kom, spring maar op mijn rug, boy.'

'Hop, hop, hop!'

Mijn stem klinkt schor.


Djekke zet mij voor mijn huis af.

'Je moet onmiddellijk in bed kruipen, hoor! Anders ga je heel ziek worden.'

Ik strompel de trappen op. Wanneer ik mijn schoenen uittrek, zie ik dat er bloed op mijn sokken zit.

Liesl staat voor het fornuis. Ze heeft eten klaargemaakt. De tafel is gedekt en ik ruik bloemkool en worst.

'Ik ben bij ma geweest, Liesl.'

'Soep?'

Liesl kan urenlang liggen bellen met haar vriendinnen of in haar kamer aan haar haren zitten prutsen. Of smoezen met ma en Goffin. Maar ze is ook bijdehand en vandaag heeft ze echt haar best gedaan. Ze gaat over mij aan tafel zitten en schept mijn bord vol soep.

'Mm, dat smaakt lekker!'

'Niet slurpen, Wout!'

'Ma leek een beetje ... een beetje ... nou je weet wel ...'

'Ellebogen van tafel, Wout!'

Ik slurp nog harder en mok verongelijkt.

'Ma is bezorgd om de baby, Wout,' legt Liesl geduldig uit alsof ik een klein kind ben dat niets begrijpt. 'Jullie mannen denken altijd dat een kind krijgen even eenvoudig is als ...'

Liesl zoekt naar de juiste woorden. Ik prik gulzig drie stukjes worst op mijn vork en slok ze in een hap naar binnen.

'... als met de fiets even naar de winkel op de hoek rijden om boodschappen te doen. Baby's koop je niet in een supermarkt!'

'Nou, jullie vrouwen,' brom ik verongelijkt. 'Ik ben er trouwens zeker van dat ma liever een jongetje dan een meisje had gewild.'

Nu kijkt Liesl kwaad. Met een nijdige beweging kwakt ze de aardappelen en de bloemkool op mijn bord. Ik krijg onmiddellijk spijt van mijn woorden.

'Ach, als de baby maar gezond is,' probeer ik.

Mijn zus kijkt van mij weg.

'Wie wil leven, vecht. Ik vecht. Djekke vecht. Ons zusje vecht. Misschien wordt Eefje later wel een tennisster,' troost ik haar met volle mond.

'Hé,' vraagt Liesl plots vol interesse. 'Wat weet jij van Djekke?'

'Zal ik je een geheim vertellen? Djekke gaat naar de overkant,' vertel ik triomfantelijk.

'Niet waar,' zegt Liesl onzeker.

'Welles.'

'Nietes.'

'Welles.'

Nors begint Liesl de tafel af te ruimen.

'Moet jij niet dringend boeken gaan kaften?' vraagt ze alsof ze mijn moeder is.

'Smoor op Djekke. Smoor op Djekke,' plaag ik. 'Onze spriet is smoor op Djekke.'

Ik huppel rond mijn zus en snijd haar de pas af.

'Weet je wat jij bent?' vraagt Liesl terwijl ze zich met een ruk omdraait.

'Jij bent een onnozele hals en een vervelende klier waarmee niet te praten valt.'

Ik steek twee vingers in de lucht. 'Peace?' bedel ik. Liesl haalt ongeïnteresseerd haar schouders op.

'De vrede van Abatellis?'

'Wat?'

'Grapje,' lach ik.

'Help! Mijn broer is niet goed wijs,' lacht Liesl en ze werpt in een dramatisch gebaar haar armen in de lucht.

'Mijn zus is dom. Ze weet echt niets.'

'Dit komt je duur te staan,' zegt Liesl. 'Twee keer afwassen en afdrogen.'

'Au, au, au! Mijn teen is ontstoken,' jammer ik.

'En je dekt morgen de tafel.'

Liesl grijpt met haar hand naar mijn haren, maar ik weer haar aanval met een handdoek af.

'Echt, Liesl, ik ben met mijn voet in een schelp getrapt.'

Ik laat haar mijn teen zien. Mijn sok ziet rood van het geronnen bloed.

'Oei, Wout. Dit moeten we zo vlug mogelijk ontsmetten.'

Even later leg ik gewillig mijn voet in haar schoot. Liesl ontsmet mijn teen met een steriel kompres.

'Niet kietelen, hoor.'

Liesl lacht. Ze heeft mij in haar macht. Ik ben een gewillig slachtoffer.

'Au, au! Dat prikt!' gil ik.

Ik hoop dat ma vlug naar huis mag komen.

# ZEVEN

Wat vliegt de tijd! Ma is nu al enkele dagen thuis. Ze eet niet, drinkt liters koffie en pendelt tussen ons huis en de kliniek, met Liesl in haar kielzog. Aan de telefoon praat ma met haar vriendinnen over gekantelde baarmoeders, navelstrengen en melk afkolven. En over Eefje, die nog altijd door dokters en verpleegsters geobserveerd moet worden.

Ma rookt niet meer en dat maakt haar kribbig en zenuwachtig. Eén verkeerd woord is soms voldoende om haar uit haar vel te doen springen. En als Goffin naar zijn appartement vertrekt, begint ze te snotteren alsof ze definitief door hem verlaten wordt.

Goffin heeft van ma het roken ook moeten afzweren. Gisteren heb ik hem echter betrapt toen hij in de voortuin een sigaret opstak. Ma is onzeker en depressief omdat Goffin geen aanstalten maakt om bij ons te komen wonen, beweert Liesl. Als Goffin hier intrekt, ga ik nog liever bij mijn vader wonen. Waarom? Daarom! Ik ben kwaad.

Ook op school valt alles tegen. In mijn klas zitten achttien meisjes en vier jongens. De meisjes klitten meestal samen in groepjes: blote benen, smalle heupen, wiebelende kontjes, krullende haren boven fijne oortjes of gladde paardenstaarten, pruillipjes en hemelsblauwe ogen. Wij, de jongens, zijn gedoemd om met elkaar op te trekken. Kobe die altijd naar uien stinkt, Sven de voetbalfanaat, kleine Anton met de hazenlip en ik. En meneer Kossler die niet te pruimen valt.

Op de speelplaats houd ik mij ver van de giechelende en kirrende meiden en mijd ik ook de ruwe, voetballende kerels. Voor je het weet, krijg je een bal tegen je hoofd of in je buik.

Soms zie ik Joe. Meestal staat hij met zijn vrienden in de hoek naast de frisdrankautomaat en kijkt hij in gedachten verzonken over de hoofden heen naar het gewoel. Joe is vast te intelligent om zijn tijd te verdoen met banale praatjes.

Soms maakt Joe zich met een slome, langzame beweging los van zijn groep en wandelt hij diagonaal de speelplaats over zonder op de ballen te letten. Er is nooit iemand die hem wat vraagt of hem wat in de weg legt. Wanneer hij mij in mijn eentje tegen de gevel ziet staan, komt hij recht op mij af om een praatje te maken. Dan hoor ik de meiden fluisteren en voel ik hun ogen op ons gericht. Maar Joe negeert hen. Ik ben er zeker van dat hij ook niet houdt van hun kinderachtige gilletjes en hun domme geflirt. Joe houdt van ernstige kerels zoals ik.

Met Dieter spreek ik nog zelden. De laatste tijd beweegt hij zich alleen tussen de leerlingen van zijn eigen klas. Ja, zo gaat dat. Uit het oog, uit het hart. Zielig hoe hij zich uitslooft voor Amélie met haar wipneus en haar ronde vormen. Zielig hoe hij zichzelf verlaagt om haar voor zich te winnen. Ooit komt er een dag dat Amélie die overdreven aandacht van hem beu zal zijn. Zoals Amélie verveeld kan kijken als Dieter enthousiast vertelt over zijn vakantie!

Gisteren heeft ze zelfs haar rug naar Dieter gedraaid om nieuwsgierig naar mij te luisteren toen ik met Joe over graancirkels sprak. Als Amélie nieuwsgierig is, staan haar ogen wijd open

53

en trekt ze op een grappige manier haar neusje op, net zoals mijn zus wanneer ze iets van mij te weten wil komen dat ik voor mezelf wil houden.

Hoe graag had ik Amélie toen willen voorstellen aan Joe, maar juist op dat moment kreeg Dieter de hik en moest ik toekijken hoe Amélie enthousiast met haar hand op zijn rug klopte. 'Help, ik sterf,' riep die kleine toneelspeler terwijl ze beiden hijgend van het lachen en gearmd naar de drinkfontein liepen.

Nu sta ik mij af te vragen hoe ik op een volwassen manier haar aandacht kan trekken. De meisjes uit mijn klas oefenen in de gymnastiekzaal enkele danspassen in. De jongens zitten op de bank en spelen een computerspelletje.

'Zo, Wouter, vertel mij eens: ben je het al gewoon in je nieuwe klas?'

De surveillant, een rondborstige man van rond de vijftig, staat voor mijn neus.

'En, heb je nog geen vrienden gemaakt?'

'Tuurlijk wel,' antwoord ik met mijn neus in de lucht. 'Ik ken Joe en Valentin en ...'

De surveillant fronst zijn wenkbrauwen.

'Joe? Zou je niet beter met jongens van je leeftijd optrekken?'

'Daar zijn ze,' wijs ik opgelucht wanneer ik Joe met zijn gevolg uit de toiletten zie opduiken.

'Hoi, Joe,' roep ik luid.

Joe komt naar mij toe gelopen. Zijn vrienden scharen zich rond ons. De surveillant verwijdert zich om een groepje drukdoeners de les te gaan spellen.

54

'Wat moest die ouwe zak van je?' vraagt Valentin.

Valentin heeft een heel lang en mager gezicht met een scherpe neus en haren die zo kort geknipt zijn dat ik de geaderde huid rond zijn schedel kan zien.

'Niets bijzonders. Strookje voor het toneel vergeten af te geven.'

Sebastiaan onderdrukt een geeuw van verveling.

'Waar moeit die vent zich mee,' moppert Valentin nog.

'Tut, tut, tut,' komt Joe tussenbeide. 'Ordnung muss sein.' En, zich tot de anderen wendend: 'Wie gaat er straks mee zwemmen? Mens sana in corpore sano, nietwaar?'

Ik ben de enige die lacht, al begrijp ik zelf niet waarom. O, wat heb ik spijt dat ik niet in de Latijnse zit!

De bel gaat en Joe blijft naast mij lopen. Zijn vrienden hebben een flesje frisdrank opengetrokken en blijven tot de laatste achter om het leeg te drinken en dan met veel lawaai in de container te mikken.

'Wanneer zie ik je nog eens in de duinen, Wouter?'

'Same time, same place!' knik ik ernstig en ik geniet van de jaloerse blikken die de meisjes van mijn klas op mij werpen. Ik recht mijn rug en steek mijn neus in de lucht.

'Hé, waarom hangt hij altijd rond die kerels van het zesde,' hoor ik een nufje vragen. 'Zijn wij misschien te min voor hem?'

Nou, zo had ik het nog niet bekeken. Ik draai mij om en maak een verzoenend gebaar. De meisjes stoten elkaar giechelend aan. Ja, zo zijn die meiden! Jaloers en onzeker als het om jongens gaat.

Enkele van die meisjes zien er echt leuk uit, maar geen enkel meisje is leuker dan Amélie. Terwijl ik aan Amélie denk, zie ik haar plots in de gang staan. Ze heeft haar haren in een warrige knoet opgestoken en draait een lok tussen haar vingers. Op haar rug hangt een grappig, blinkend geel handtasje. Haar voeten steken in vreemde smalle schoenen met dunne lederen veters die ze niet heeft dichtgeknoopt en vrolijk rond haar enkels bengelen. Het is mij een raadsel hoe ze daarmee kan lopen. Amélie staat samen met haar vriendinnen voor de lockers en probeert tevergeefs om met een sleutel haar kastje te openen. Vooruit, Wouter, grijp je kans, denk ik. Ik steek mijn kaft onder mijn linkerarm en steek mijn rechterhand naar haar uit.

'Probleempje, Amélie?'

Amélie draait zich om en schenkt mij haar allerliefste glimlach.

'Hier, probeer jij maar.'

Ze steekt haar sleutelbos in de hoogte. Er bengelt een klein, wollig aapje aan. Ik steek mijn hand uit.

'Hier,' hoor ik Amélie zeggen en vol vertrouwen legt ze de sleutel en het aapje in Dieters geopende handpalm. Mij schenkt ze enkel een verstrooide glimlach.

Ik bid dat Dieter faalt. Ik hoop dat hij zoveel domme kracht gebruikt dat de sleutel afbreekt in zijn hand. Ja, dat hoop ik uit alle macht. Ik zie het al voor mij: een radeloze Amélie, een schuldbewuste Dieter en een boze surveillant.

Maar Dieter legt als een volleerd acteur in een theatraal gebaar zijn oor tegen het ijzeren kastje en draait voorzichtig, alsof hij een brandkast kraakt, de sleutel om. En kijk: de deur zwaait met een plofje open. De spulletjes van Amélie liggen ordeloos op elkaar gestapeld: roze kaften met dolfijnen op, een haarspeld, een appel en een brooddoos en haar boeken van meet-kunde en Nederlands.

'Dank je wel. O, wat had ik zonder jullie moeten beginnen?'

Amélie gaat op haar tenen staan en drukt met getuite lippen een vluchtige kus op Dieters wang. Ik schenk haar ook mijn wang en wacht op de eerste aanraking met een meisjesmond in mijn korte leven. Nou ja, de kus van mijn zus op mijn verjaardag niet meegerekend.

'Hé, Wouter. Hoe is het met je nieuwe zusje?'

Dat was de stem van Moniek. Van schrik laat ik mijn kaft op de grond vallen. Moniek stormt recht op mij af en ze roept zo hard dat iedereen haar wel moet horen. Ik draai mijn rug naar haar en probeer mezelf klein en onzichtbaar te maken. Alsjeblieft, Moniek, houd je mond, bid ik tevergeefs, want Moniek is niet te stoppen.

'Ik heb gehoord dat je zusje nog altijd niet naar huis mag. Ach, dat arme ding. Zo klein en al zoveel meegemaakt. Als dat maar goed komt. Ik vind het echt sneu voor je, Wout. Als ik iets voor je kan doen, zeg je het maar.'

Moniek heeft nu de aandacht van alle meisjes getrokken. Zelfs Amélie heeft zich omgedraaid en gaapt mij met onverholen interesse aan.

'Is dat waar? Heb jij een zusje gekregen, Wout? Wanneer? Hoe leuk, zeg. Wat zullen je ouders blij zijn. Wat is haar naam? Waarom heb je ons niets verteld?' zingt ze.

Ik sta nu in het middelpunt van de belangstelling. De meisjes hangen aan mijn lippen. Amélie heeft zowaar even haar hand op mijn arm gelegd.

'Maeva heet ze. Maar ik noem haar Eefje,' zeg ik.

'Wat een mooie naam! Wanneer mogen we de baby zien?' vraagt een van de meiden enthousiast.

'Voorlopig zal dat moeilijk zijn,' antwoord ik terwijl ik naar de juiste woorden zoek.

Niet huilen, denk ik. Niet huilen. Jongens huilen niet. Jongens zijn sterk. Jongens zijn vechters. Ik ben een vechter. Djekke is een vechter. Eefje is een vechter.

'Vooruit, naar jullie klas,' maant de surveillant ons aan. Ik schrik en begin te rennen. Wanneer ik mij omdraai, zie ik Dieter en Amélie hand in hand door de gangen lopen. Ik wou dat ik in hun klas zat.

# ACHT

Ik fiets door het rode licht, het kruispunt over. Ik draai de hoek om, ontwijk nog net op tijd de deur van een bestelwagen en vlieg de dijk op. Ik ben de jongen met het vierkantige hoofd en de korte benen. De jongen zonder vriendin. Met een zusje dat zo klein is dat je niet met haar buiten kunt komen.

Ik zoef over de dijk. De meeuwen vliegen verschrikt op, de honden springen blaffend opzij, de mensen kijken mij na en wijzen naar mij. De mist is weggetrokken en de hemel is opgeklaard. De toeristen en de dagjesmensen verschijnen in bosjes met bussen, auto's en zwerfwagens. Ze nemen de beste plaatsen in en verschansen zich achter hun felgekleurde, gestreepte zeilen en profiteren van de laatste warme najaarszon. Hun kinderen scheppen putten, bouwen zandkastelen, spelen in de plassen en rennen over het strand hun vliegers achterna.

Djekke zit boven op de dijk op de ijzeren reling. Dit jaar verkoopt hij zonnebrillen en handtassen in plaats van horloges en gsm-hoesjes. Zijn koopwaar ligt netjes uitgestald en gerangschikt naar grootte en prijs op een groot doek dat hij voor zijn voeten heeft uitgespreid.

'Hallo, boy,' lacht hij wanneer hij mij ziet.

'Hoi, Djekke. Hoe staan de zaken ervoor?'

Ik zet mijn fiets aan de kant en kies een grote, opvallende zonnebril uit. 'Al drie keer moeten rennen vandaag. En wat erger is, de derde keer hadden ze die goeie, ouwe Djekke bijna te pakken!'

Djekke lacht weer.

'Zal ik even voor je opletten?'

'Te gek, boy!'

Djekke wipt van de reling en klampt twee tienermeisjes aan.

'Hallo, meiden! Mooi weertje vandaag, niet? Moeten jullie geen zonnebril op dat snoezige neusje van jullie zetten om jullie mooie oogjes te beschermen?'

De meisjes blijven giechelend staan.

'En wat denken jullie van deze prachtige handtassen, recht uit Italië?'

Djekke houdt in de ene hand tien zonnebrillen en in de andere een paar handtassen. Het grootste meisje haalt lachend haar neus op, maar het kleinste heeft zich nieuwsgierig naar voren gedrongen en betast een klein, blauw handtasje met een hoornen handvat.

'Jij hebt een uitstekende smaak, zie ik,' lacht Djekke voldaan. Het meisje lacht verlegen terug.

'Neem gerust je tijd. Kijk, hierin kun je je paspoort kwijt en daarin past precies je lipstick en je gsm. En dan is er nog een geheim zakje voor je weet wel wat. Kijk! Ja, voor topkwaliteit moet je bij Djekke zijn!'

Er zijn nu nog meer potentiële klanten rond Djekke komen staan. Ze graaien tussen de handtassen, ruiken aan het leder, openen knopen en ritsluitingen en passen de zonnebrillen. Ik hou iedereen goed in de gaten, want je weet maar nooit! De gelegenheid maakt de dief, beweert ma altijd.

De zaken draaien goed voor mijn vriend. Hij heeft een lelijke, bruine handtas verkocht aan een bejaarde vrouw die zelfs niet heeft geprobeerd om op de prijs af te dingen. Een beetje later zie ik haar voorbijwandelen. Uit de tas piept een verbaasde hondensnuit.

Ook de twee meisjes hebben besloten om iets te kopen. De kleinste heeft, behalve het handtasje ook een bril in dezelfde kleur uitgekozen. Ze staat tegen het licht in en kijkt met de bril naar de zon. Haar rokje is doorzichtig. Een leuk ding, denk ik. Ze lijkt een beetje op Amélie.

'Ik zou niet twijfelen,' zeg ik.

Het oudste meisje zuigt bedachtzaam haar lippen naar binnen en schijnt niet te kunnen kiezen.

'Ik zou ze allebei nemen als ik in jouw plaats was,' moedig ik haar aan. 'Trouwens, Djekke heeft vast en zeker een speciaal prijsje voor studenten, nietwaar, Djekke?'

Djekke is nog altijd druk in de weer, maar hij knikt en steekt zijn duim naar mij op.

'Het is oké, meisjes,' wuif ik.

Vergis ik mij of zie ik Valentin aan de overkant van de straat tussen twee auto's wegduiken? Ik twijfel of ik het wel goed heb gezien en kijk rond. In de verte nadert traag een politiecombi. Vlug maak ik de ketting van mijn fiets al los. De combi wordt gehinderd door een groep scouts, die arm in arm en luid zingend de totale breedte van de dijk en de weg bezetten. Een van de agenten steekt zijn arm door het raam en roept. De groep wijkt zingend uiteen en laten de politiewagen door. Hij komt recht op ons af.

'Rennen, Djekke,' roep ik.

'Dit is nu al de vierde keer vandaag,' vloekt Djekke.

Hij grist alle zonnebrillen en handtassen uit de handen van de verbouwereerde klanten, rolt alles in het deken en rent met grote passen een zijstraat in.

Ik volg hem op mijn fiets. Ik fiets zonder handen in het midden van de straat, traag en uitdagend.

'Ik denk dat ze onze kant uit komen!'

Net op tijd glipt Djekke een steegje in. Aan het eind van de steeg geeft een deur toegang tot de binnenplaats van de pizzeria. Daar staan tonnen olie, kratten tomaten en bussen ansjovis. Ik weet dat Djekke van de eigenaar zijn spullen daar altijd mag verstoppen.

'Hallo, ventje. Denk jij dat de rijweg voor jou alleen is?'

De agent springt uit zijn combi en verspert mij de weg. Hij is zeker nieuw hier, want ik ken hem niet.

'Stond jij misschien op de uitkijk voor die nikker?'

'Nikker?' houd ik mij van den domme.

De tweede agent steekt zijn hoofd door het raam en monstert mij van top tot teen. Hij lijkt nog heel jong. Zeker een stagiair.

'Ja, die neger die op de dijk handtassen verkoopt. Ben jij soms zijn handlanger?'

'Kom, laat ons je papieren maar eens zien. En vlug een beetje, joch!'

De eerste agent draait nu rond mijn fiets en bestudeert de lichten en de remmen. 'Wat doen we met dit kereltje, Ronny?'

'Mijn fiets is in orde,' zeg ik snel. 'Jullie kunnen mij niets maken.'

'Naar welke school ga jij, ventje?'

Ik noem de naam van mijn school.

'Leren ze daar niet meer wat beleefdheid is? Doen ze daar tegenwoordig niet meer aan verkeersopvoeding?'

'Sorry,' zeg ik. 'Er was niemand in de straat en ik dacht ...'

De agenten kijken elkaar vragend aan.

'Zijn wij niemand? Ben ik mister nobody, Ronny?'

'Sorry,' verontschuldig ik mij nogmaals. 'Ik heb pas een zusje gekregen.'

'Mooi voorbeeld ben jij voor dat zusje,' grinnikt de eerste agent, de vriendelijkste van de twee.

'Allez, vooruit. Voor één keer knijpen wij een oogje dicht, nietwaar, Ronny? Jij krijgt van ons precies twee seconden tijd om je uit de voeten te maken.'

'Dank je wel en krijg de klere,' mompel ik.

Ik kijk ze na terwijl ze wegrijden.

'Dank je wel, boy!'

Djekke staat grijnzend naast mij en klopt met zijn grote zwarte handen op mijn rug.

'Kom je mee, boy? Ik wil jou aan de broeders voorstellen.'

Zij aan zij duiken we de duinen in, Djekke op mijn fiets. Met zijn lange benen en grote voeten peddelt hij door het zand tot hij zijn evenwicht verliest en met fiets en al omvalt. Djekke lacht.

De broeders zijn Djekkes vrienden. Ze delen met z'n vieren een kleine kamer aan de andere kant van de duinen. Het is de kamer van een student van de zeevaartschool die voor twee maanden op reis is.

'Aan het eind van volgende maand moeten we hier weg,' legt Djekke uit.

Hij stelt mij voor aan zijn vrienden: Hussein, Abdirahman en Moussa.

'Call me Abdi,' zegt Abdirahman. Zijn huid is zo donker dat ik alleen maar zijn ogen en zijn tanden kan zien.

'Reizen jullie binnenkort ook naar de overkant?' vraag ik.

In plaats van te antwoorden schuift Abdi de koekjestrommel in mijn richting.

'For you, boy!'

Ik kies een rond koekje met rozijnen uit.

'Ga maar zitten,' zegt Djekke.

Zelf gaat hij op de grond tussen zijn vrienden zitten. Er ontspint zich onmiddellijk een geanimeerd gesprek in het Engels dat ik moeilijk kan volgen. Er wordt veel plezier gemaakt en veel gelachen. Ik zit op een bureaustoel en draai rondjes. Af en toe steek ik mijn hand in de koekjestrommel. Moussa knipoogt telkens als hij het ziet.

Nieuwsgierig neem ik de kamer in mij op. Het is een heel kleine kamer, nog kleiner dan die van ons. En ze wordt verduisterd door donkere gordijnen die weinig licht doorlaten. Het meubilair is eenvoudig en bestaat uit een wasbak, een tafel en een stoel, een bed en twee matrassen op de grond. In een hoek staat een oud gasfornuis. Tegen de muur hangt een foto van een groep matrozen voor een olietanker en een foto van een blonde jongen. Op, onder en naast het bed liggen handtassen. Djekke kijkt naar mij en ziet mij nadenken.

'Iedere maand halen wij een lading op in het magazijn, boy. We betalen alles vooruit. Onze winst is zo klein.'

Djekke wijst vier millimeter tussen duim en wijsvinger aan. Hij spreekt nog altijd Engels.

'Moussa, Abdi en Hussein verkopen in een andere stad. Ze vertrekken iedere ochtend met de trein naar het achterland. Abdi is onze topverkoper, nietwaar, Abdi?'

Abdi, die zijn naam heeft gehoord, kijkt op.

'Superseller Ab,' gekscheert Djekke.

'Yeah,' grijnst Abdi. 'Me, wonderboy. Everybody likes good old Ab.' Hij slaat zichzelf op de borst.

'Heb je geen dorst?'

Moussa springt op en beweegt zich zigzaggend en heupwiegend naar het formuis. Hij steekt het vuur aan en zet een pot water op. Intussen draait hij met zijn ogen, schudt hij met zijn kont en zingt hij met een stem die klinkt als een klok. Maar Hussein laat hem struikelen en Moussa valt op de grond. Ik zie alleen maar een kluwen van armen en lange benen.

'Let maar niet op hen. Ze gedragen zich nog altijd als kinderen,' zegt Djekke.

'Ik denk dat ik maar eens naar huis moet gaan, Djekke,' zeg ik met spijt.

'Oké, boy. Ik loop wel een eindje met je mee.'

'Bedankt, Djekke, maar ik ken de weg.'

'You're welcome.'

# NEGEN

Bijna oktober. Ma heeft steeds meer last van onbeheerste huilbuien en ongecontroleerde woedeaanvallen. Beide komen plots en onaangekondigd op. Een vallend blaadje voor het raam is bij wijze van spreken al voldoende om ma te doen ontvlammen of langzaam in een depressie te laten zakken. En er vallen veel blaadjes, want het wordt stilaan herfst.

Ook Liesl heeft een rothumeur. Ze heeft haar vinger gebrand aan het strijkijzer en de blaar moet iedere dag wel twintig keer met een stinkend zalfje worden behandeld. Voorlopig kan ze koken noch afwassen en is het alle dagen mijn beurt.

Goffin, die gelukkig nog altijd niet bij ons inwoont, loopt binnen en buiten alsof hij hier al het gezinshoofd is. Zijn pakken hangen aan een nagel in de hal en zijn rubberen laarzen staan onder ma's oude naaimachine. En ik vond al een paar van zijn sokken in onze wasmand. Wanneer neemt die vent nu eens eindelijk een beslissing, mokt ma als ze het niet meer ziet zitten.

De school is een plaats van onrecht. Volgens Sven gaat Dieter nu officieel met Amélie. Hij heeft de tortelduiven hand in hand zien lopen in het park en hij heeft ze zien kussen en knuffelen in het hoekje achter de traphal van de prefect. Dat vertelde hij precies op de dag dat ik mijn eerste onvoldoende kreeg. Twee op tien voor aardrijkskunde omdat ik mijn atlas vergeten was en me niet meer kon herinneren waar de Balkan ligt. Intussen weet ik dat Griekenland wel tot de Balkan wordt gerekend, maar Italië niet.

Mijn zusje lijdt aan een aangeboren hartafwijking waarvan de dokters het verloop nog niet kunnen voorspellen. Ze blijft klein, huilt veel en eet slecht. Daarom krijgt ze nog altijd sondevoeding via haar neusje.

Ja, zo staan de zaken er nu voor. Ik heb een labiele ma, een pissige zus, een nepvader en een zusje dat extra verzorging nodig heeft. En ergens heb ik ook nog een eigen vader wonen die zelden tijd voor me heeft.

Ik heb daarstraks mijn eigen pa gebeld, maar ik kreeg weer zijn vrouw aan de lijn. Hallo, Wouter, beste jongen. Hoe gaat het met je? En met je zusje? Wat erg voor je ma! Ik denk alle dagen aan jullie. En hoe is het op school? Bla, bla, bla. Heb je al veel nieuwe vrienden gemaakt? Bla, bla, bla. Nee, jouw vader is nog niet thuis. Zal ik hem vragen om je onmiddellijk terug te bellen zodra hij thuis is? Ik moet nu dringend ophangen, want je weet dat ik op zaterdag altijd met de jongens naar het hockey ga.'

Ik ga weer bij mijn pa wonen, verkondigde ik uiteindelijk en toen bleef het zeker een minuut stil aan de ander kant van de lijn. Oké, Wout. We zullen dat samen bespreken. Jij, jouw pa en ik en natuurlijk ook je ma. Een verhuizing vraagt heel wat organisatie, maar samen komen we hier wel uit, nietwaar, jongen? Ja, dat zal wel, antwoordde ik, niet helemaal overtuigd.

Een uur geleden heeft pa met ma gebeld. Ik hoorde ma eerst fluisteren, daarna gillen en nog later huilen. Ten slotte wierp ze de hoorn naar mijn hoofd.

'De kwestie is,' zei pa, 'dat ma en Liesl zo ontzettend van je houden dat ze je voorlopig niet kunnen missen. Ze hebben je echt nodig. Wat moet er bijvoorbeeld gebeuren als de baby thuiskomt en je ma ziek op de bank ligt? Ze heeft het nu al zo moeilijk. En ik moet je eerlijk bekennen, Wout, wij zijn op dit ogenblik ook wat krap behuisd. Petra heeft de naaikamer leeggemaakt en opnieuw geschilderd. Je had moeten zien hoe ze met de verf en de borstels tekeerging! En ook de zithoek kreeg een facelift. Onze twee jongens worden groot en verlangen ook naar wat eigen ruimte. Maar de kamer achter de living wordt heringericht en wordt dan later definitief jouw hoekje. Wat vind je daarvan? Maar je zal helaas nog eventjes geduld moeten oefenen, Wout. Rome werd niet in één dag gebouwd. Overigens: hoe gaat het op school? We betwijfelen of het goed voor je is om steeds weer te verhuizen. Wat jij nodig hebt, is stabiliteit. We wonen trouwens ook veel verder van je school dan je ma. Als je nog eens komt, breng je dan je eerste rapport voor mij mee? Ik wil op de hoogte blijven van je resultaten. Beloofd, Wouter? Beloofd?'

'Ja, pa, oké,' antwoordde ik verslagen.

Ma en mijn zus hadden meegeluisterd. Liesl keek woest en beledigd, ma was eerder droevig. Goffin, die vlug het laatste restje van onze cake in zijn mond propte, was de enige die triomfantelijk glunderde. Ik hoorde hem denken: ja, Wout, die pa van jou!

Daarom heb ik kwaad en verongelijkt de deur achter mij dichtgetrokken. Je zou voor minder!

Wind! Wind! Wind! Het zand schuurt over mijn armen en benen. Mijn knieën zijn rood en mijn lippen zijn gesprongen. De wind stormt door mijn hoofd, raast door mijn hart. Het is een vijandige, koude wind die, ondanks een heldere hemel, de zee doet rollen en schuimen. Ik trap zo hard ik kan, tegen de wind in.

'Hallo, Wout! Wat heb jij een haast, zeg.'

Dat is de stem van Joe.

Hij lijkt uit het niets op te duiken.

'Hoi, Joe!'

Joe draagt een zwart leren jekker en een zwarte broek met zwarte schoenen, waardoor hij een echte vent lijkt.

'Sigaretje?'

Met de mouw van mijn trui veeg ik mijn neus af. Joe maakt een kom van zijn handen en houdt ze rond de vlam terwijl ik de sigaret aansteek. Ik ruik wax en aftershave.

Met mijn fiets aan de hand volg ik Joe. We wandelen samen de duinen in. Op de hellingen knakt het helmgras door de hevige wind. Het zand stuift rond mijn oren. Maar Joe kent een veilige plaats achter een heg van struiken in de kom van de duinen. Daar is het warm in de zon en stil. We zetten onze fietsen aan de kant en gaan naast elkaar in het zand zitten. Traag neemt Joe een trekje van zijn sigaret. Hij kijkt met half toegeknepen ogen in de zon en lijkt na te denken. Ik voel mij helemaal tot rust komen naast mijn vriend. Liesl met haar springerige bewegingen en haar hoge stem en ma met haar gemopper lijken ver weg. Goffin wordt een onbeduidende passant, een minuscule voetnoot in mijn leven, een pluisje op het behang.

Ik gluur naar Joe en probeer op dezelfde achteloze manier de rook door mijn lippen naar boven te blazen.

'Vergis ik mij of heb ik jou een tijdje geleden met die nikker gezien,' zegt Joe plotseling zonder zijn hoofd naar mij te draaien.

'Dat was Djekke. Echt een toffe kerel. Een grappenmaker,' vertel ik enthousiast. 'Je zou hem moeten leren kennen, Joe.'

Zorgvuldig dooft Joe zijn sigaret in het zand. Hij sluit zijn ogen en vraagt zonder zijn hoofd te bewegen: 'Wat weet jij van die kerel, Wout?'

Wat ik weet van Djekke? Djekke is gewoon Djekke. Een bovenste beste kerel. Altijd vrolijk, altijd goedgeluimd, altijd klaar om je op te beuren en bereid om je te helpen. Bovendien is Djekke de beste skater van het dorp. Als Djekke in het licht van de straatlantaarns zijn salto's maakt, houden de omstanders van bewondering hun adem in.

'Zie je wel, Wout, jij weet niets van die neger. Waar woont hij? Studeert hij? Werkt hij? Hoe komt die gast aan zijn geld? Hij is hier toch niet illegaal, hoop ik?'

Joes stem klinkt oprecht bezorgd.

'Voor Djekke steek ik mijn hand in het vuur, Joe. Echt waar.'

Joe schudt zijn hoofd en rolt opnieuw een sigaret. Ik vind het fijn om hier met hem alleen te zitten. Ik kijk naar het zand dat opgehoopt tussen het helmgras is blijven liggen. Ik pluk een halm af en steek hem tussen mijn tanden. Het sap smaakt bitter. Joe kijkt op zijn horloge en neemt zonder haast nog een trekje. Ik leun met mijn ellebogen in het zand en kijk door mijn wimpers naar de wolken. De zon spat uiteen in honderdduizend vlinders. Een van de vlinders is Amélie.

'Je bent net op tijd,' hoor ik Joe plots zeggen.

Verdomd! Bosses brede schaduw valt als een donkere, koude doek over mijn lijf. Weg zon! Weg rust! Weg Amélie!

Bosse snatert en tatert in dat stomme kindertaaltje van hem. Ik geeuw opvallend luid achter mijn hand. Joe luistert geduldig, maar zijn blik naar mij lijkt te zeggen: de eenvoudigen van geest hebben ook recht op aandacht, nietwaar, Wout?

'Hé, Bosse, wat heb jij vandaag leuke schoenen aan,' wijs ik vals.

Bosse gloeit van trots. Hij steekt een voet vooruit en laat mij zijn lelijke, plompe schuiten zien.

'Kom, mannen, we kunnen hier niet eeuwig blijven zitten. Ik wil jullie trouwens iets laten zien,' knipt Joe met zijn vingers.

Ik begrijp dat als Bosse erbij is, de kans op een intellectueel gesprek met Joe verkeken is.

'Als je ook zulke schoenen wilt, moet je vlug zijn,' fluistert Bosse in een spraakzame bui. 'Het laatste paar ligt in het uitstalraam. Een buitenkans als je de juiste maat hebt!'

In zijn strakke korte broek klautert hij hijgend achter Joe aan, de duin op.

'Kijk eens,' wijst Joe met een sigaret in zijn hand. 'Onze duinen. Onze zee. Ons land. Het land waar onze grootouders voor gevochten hebben. Sommigen hebben het zelfs met hun leven moeten bekopen. Onthoud dat goed, jongens!'

Ik kijk zwijgend, volledig van Joes ernst en wijsheid doordrongen.

'Takke, takke, tak,' krijst Bosse met een denkbeeldige mitrailleur in zijn hand en hij maakt een maaiende beweging.

'Takke, takke, tak.'

'Zwijg toch, debiel,' sis ik kwaad.

Joe heeft zich van ons afgewend en staat als een krijgsheer die zijn troepen inspecteert boven op de berg. Een vent uit één stuk, die Joe.

'Takke, takke, tak,' vuurt Bosse in de lucht.

'Zwijg nou maar,' herhaal ik en ik geef Bosse een flinke duw in zijn rug. Me een hoge kinderkreet ploft Bosse in het zand. Ik lach.

'Pech, soldaat!'

Joe is intussen zonder nog op ons te letten de duinenheuvel afgedaald. Ik zie hem nog juist in zijn zwarte jekker achter de struiken verdwijnen.

'Sta op, prullenvent!'

'Kijk nou. Door jou heb ik mijn duim gebroken,' jankt Bosse.

Ik twijfel. Moet ik blijven staan om Bosse te helpen? Ik steek verzoenend een hand naar hem uit.

'Kom op, vent.'

'Au, au, au,' kermt Bosse.

Hij doet alsof hij ondraaglijke pijnen lijdt en laat zich weer achterover in het zand vallen. Ik weet mij geen raad. Moet ik de hulpdiensten bellen?

'Gefopt!'

Bosse rolt over de grond van het lachen.

'Jeetje, Joe houdt niet van kinderachtig gedrag,' roep ik kwaad en ik ren met reuzenstappen de duin af, Joe achterna.

'Wacht op mij. Toe, Wouter, wacht op mij,' jankt Bosse terwijl hij mij achternarent.

Deze keer heeft Joe een weg gekozen die naar de lagere heuvels aan de andere kant van het dorp leidt. De weg buigt eerst af naar zee, maar duikt dan in een grote bocht terug de duinen in. Hier vind je geen kleine werkmanswoningen noch vakantiehuisjes, maar hoge flatgebouwen die uitkijken over de duinen en de zee. Blokkendozen volgens Liesl, gerieflijke appartementen volgens ma, die hier maar wat graag had willen wonen. Te duur en niet te betalen, volgens Goffin. Illegaal neergezet en volledig in strijd met het duinendecreet, volgens het plaatselijk actiecomité.

'Later ga ik hier wonen,' schept Bosse op. Hij loopt hinkend naast mij. Ik vermoed dat zijn nieuwe schoenen knellen en lach stilletjes in mezelf.

'Ai, ai, ai,' klaagt Bosse.

Joe loopt met grote passen voorop. Hij kijkt links noch rechts. Plots houdt hij halt voor een bouwwerf. Ze is afgezet met een stalen hek. Achter het hek zie ik bulldozers, betonmolens en grote rollen staaldraad. Joe neemt een aanloop en wipt lenig over het hek. Ik volg zonder aan Bosses gekerm aandacht te schenken. Bosse moet zelf zijn plan maar trekken. Joe kruipt onder een ladder en verdwijnt in het labyrint van half afgewerkte muren. Ik loop de hoek om en daar zie ik tot mijn verbazing Joes vrienden naast elkaar op een laag betonnen muurtje zitten.

'Hoi, mannen,' zeg ik zonder iets van mijn verbazing te laten merken.

# TIEN

'Ziedaar, onze Wout,' zegt Valentin overdreven joviaal. Alleen zijn lippen bewegen. Die zijn smal en bloedeloos en wijzen zoals altijd misprijzend naar beneden.

'Bouwen ze hier ook zo'n lelijke blokkendoos,' vraag ik theatraal.

'Wat zeg je?' vraagt Cedric met zijn hand als een trechter achter zijn oor. Hij plooit zich dubbel naar mij en ademt in mijn gezicht.

'Nou …' krabbel ik terug.

Joe legt zijn hand op mijn schouder en sust: 'Wout heeft niet helemaal ongelijk. Er bestaat mooiere architectuur dan dit. Maar vergeet niet dat onze vriend nog te jong is om iets van economie en kostenanalyse te begrijpen.'

'Nou …' mompelt Cedric welwillend.

'Cedrics vader is de directeur van de vastgoedmaatschappij,' fluistert Joe in mijn oor. Ik krijg een hoofd als een pioen en begin te zweten.

'Het zullen zeker gerieflijke appartementen worden,' bauw ik ma na.

Ik voel mij ongemakkelijk, want Cedric blijft maar naar mij kijken met zijn ondoorgrondelijke blik. Valentin, die van het muurtje gewipt is, inspecteert de werf als een kenner. Hij trapt enkele cementzakken weg, stampt tegen een betonijzer en rukt aan een rol prikkeldraad. Ontevreden schudt hij zijn hoofd. 'Die kennen niets van metselen. Stelletje armoedzaaiers. Komen naar hier om zich vol te vreten en te genieten van ons sociaal stelsel.'

'Ja, en daarna vertrekken ze zonder boe of bah te zeggen met hun zakken vol geld terug naar ginder, zegt mijn pa altijd,' knikt Cedric.

Valentin maakt een vaag gebaar met zijn hand. Cedric knikt en tikt voorzichtig met zijn pink een stofje van zijn schoenen. Het zijn hagelwitte sportschoenen met een lichtblauwe streep op de zijkant. Joe heeft precies dezelfde, maar nu draagt hij zwarte. Wow, wat zou ik er niet voor geven om ook zulke schoenen te hebben!

Joe, Cedric en Valentin zijn nu in een druk gesprek gewikkeld. Al pratend hebben ze zich een weg gebaand tussen de betonblokken en de cementzakken.

'Een zootje ongeregeld,' hoor ik Valentin zeggen. Hij zet zijn schouders onder de afsluiting en een voor een wringen we ons door de nauwe opening. Mijn hemd blijft achter een nagel hangen en scheurt. Wat zal ma hiervan zeggen als ze dit ziet?

Bosse zit ons met zijn ellebogen op zijn knieën en zijn hoofd in zijn handen op een stenen muur op te wachten. Zijn rode haren lijken in de zon op te vlammen.

'Hé, mannen!' wuift hij van ver.

Ik zie Valentin knipogen naar Joe en Cedric. Ik duik achter hun ruggen weg, in de hoop dat Bosse mij niet ontdekt. Maar Bosse komt onmiddellijk mijn richting uit.

'Jij dacht zeker dat ik al naar huis was, hè?' treitert Bosse en hij loopt mij in zijn haast bijna omver.

'Geen geruzie in de groep,' zegt Joe verstoord.

Bosse zwijgt, maar af en toe zie ik hem boosaardig naar mij gluren.

Joe, Cedric en Valentin lopen met z'n drieën voorop en nemen de hele breedte van de straat in. Als er een fietser of een vrouw met een kinderwagen aankomt, wippen ze met een brede armzwaai galant opzij. Ik loop samen met Bosse achter hen aan en probeer tevergeefs iets van hun gesprek op te vangen. Bosse lijkt er genoegen in te scheppen om zo veel mogelijk lawaai te maken. Hij sloft door het zand, trapt een slakkenhuis plat en veegt luidruchtig zijn schoenen af aan een paal. Zijn mond staat niet stil.

'Wat is het warm, vandaag!'

Ik pers mijn lippen op elkaar en kijk naar de grond.

'Drieëntwintig graden. En dat in september. Dat is echt abnormaal voor de tijd van het jaar. De aarde warmt op en de ijskorst smelt, heeft onze leraar verteld.'

'Jij hebt dus toch hersencellen die werken,' mompel ik verveeld.

'De walrussen sterven uit. De ijsberen gaan dood. Misschien verdwijnen binnenkort ook nog de pinguïns. Ik vind pinguïns leuk. Houd jij van pinguïns, Wout?' gaat Bosse onverstoorbaar verder.

'Jij lijkt zelf wel een pinguïn zoals je loopt!'

Bosse snuift beledigd. Hij gaat opzij van de weg lopen en peutert met een stok tussen de stenen. Waarnaar is hij op zoek? Ik doe er het zwijgen toe.

'Hé, daar zie ik je zus,' zegt Bosse plotseling.

'Ja, en daar loopt zeker nog een ijsbeer?' sneer ik.

'Echt waar, Wouter, je zus stond daarjuist vanaf die hoge duin naar ons te kijken.'

Ik voel mij ongemakkelijk. Stel dat Bosse gelijk heeft? Stel dat Liesl mij samen met Joe en zijn vrienden heeft gezien? Maar, waar moeit Liesl zich eigenlijk mee?

'Een gekke zus, heb je,' vervolgt Bosse. 'En graatmager! Krijgen jullie thuis wel voldoende te eten?'

Pats! Mijn hand heeft Bosses kaak geraakt. Bosse begint te gillen. Joe kijkt geërgerd om.

'Kom, jongens, gedraag jullie!'

'Met die kerel wil ik niets meer te maken hebben,' mokt Bosse, maar hij blijft toch naast mij lopen.

Ik ben ongerust. Is Liesl mij gevolgd? Of is ze gewoon met haar vriendinnen op weg naar de bunkers? Ik voel mij onzeker. Ieder fladderend sjaaltje, iedere opwaaiende zomerjurk in de verte doet mij aan Liesl denken. In ieder mager meisje meen ik mijn zus te herkennen.

Joe, Cedric en Valentin zijn in een uitgelaten stemming. Ik hoor ze lachen en zie hoe ze duwend en trekkend elkaars krachten meten. Net eerstejaars, denk ik verwonderd.

'Hierlangs,' hoor ik Joe zeggen en hij gaat zijn vrienden voor door een nauwe doorgang tussen de struiken. Ik buk mij en kruip achter hem door een natuurlijke boog van duindoorn. Mijn voeten vinden houvast op de smalle treden van een tap die naar de top leidt. Wanneer ik bijna boven ben, zie ik onder mij het vervallen huis liggen. Pas nu dringt het tot mij door waar we ons bevinden.

Joe, Cedric en Valentin zijn blijven staan. Joe heeft zijn armen over elkaar geslagen. Valentin dooft zijn sigarettenpeuk met de punt van zijn schoen. Rond Cedrics mond ligt een verbeten trek.

Bosse heeft nu ook het huis ontdekt. Hij heeft zijn haren achterovergekamd en met gel ingevet, zodat hij er nog maller uitziet dan anders.

'Hé, daar is die heks weer!' kraait hij opgewonden.

Beneden in het tuintje zie ik de vrouw gehurkt naast een hoop rommel zitten. Ze doet of ze ons niet gezien heeft. De mannen zitten aan een houten tafel onder het afdak en spelen een spel op een soort schaakbord. Ze gaan volledig op in het spel en kijken niet naar ons.

'Heks! Heks!' joelt Bosse.

Hij houdt zijn beide handen met zijn vingers gespreid achter zijn oren en roept: 'Heks! Toverheks! Toverkol! Roer maar in je pap en betover ons als je durft.' Daarbij buigt hij voorover en draait met z'n achterwerk.

Valentin lacht. Het is een akelig, kort lachje dat klinkt als een fles die ontkurkt wordt. Nu ik erover nadenk, besef ik dat ik een hekel heb aan Valentin.

'Pas maar op, Bosse, dat je niet in haar paddensoep valt,' roep ik.

'Hé?' kijkt Bosse vragend op.

'Straks vliegt ze op haar bezemsteel boven je bed en laat ze een dikke, vette spin tussen je dekens vallen.'

'Zeg, wat heb jij vandaag? Heb je misschien ruzie met die zus van jou?' vraagt Bosse geërgerd.

'Kom eens hier, Bosse,' wenkt Cedric.

Gehoorzaam klautert Bosse naar boven. In het voorbijgaan geeft hij mij heimelijk een duw en steekt zijn middelvinger op.

'Pompoen. Rode biet. Tomaat,' fluister ik.

Cedric legt vaderlijk zijn beide handen op Bosses schouders. Cedric en Bosse staan wat hoger en kunnen meer van de omgeving zien dan ik.

'Schorem. Tuig. Crapuul. Profiteurs. Dieven en dievegges,' gilt Bosse en hij steekt daarbij zijn vuist in de lucht.

Joe heeft zijn rug naar ons gedraaid en staart peinzend in de verte. Joe is een denker. Een filosoof, zou mama zeggen. Iemand die verder kijkt dan zijn neus lang is, iemand die dieper over de dingen nadenkt dan de man in de straat.

'Joe?'

Ik klim naar boven tot ik naast hem sta. Beneden naast het huis ontdek ik plots nog twee groezelige jonge mannen. Ze hebben een roestige fiets ondersteboven gezet en repareren het wiel. Naast hen zit een kleuter in het zand te spelen.

'Heeft ons land nog niet genoeg problemen?' mompelt Joe in zichzelf. Hij heeft zich abrupt omgedraaid.

'Weet jij hoeveel werkloze allochtonen in ons land rondlopen? Heb jij al eens uitgerekend wat dat kost? En wie moet dat allemaal betalen, Wout? Wie laat hier de boel draaien, denk je? Mijn ouders werken. Jouw ouders hebben werk. Maar ze betalen zich arm aan belastingen, terwijl die schooiers gratis kleding en onderdak krijgen. Ja, volgens mijn vader wordt het dringend tijd dat wij daartegen optreden.

Ik denk dat ik er niet bepaald snugger uitzie, want Joe herhaalt: 'Denk eens na, Wout! Denk eens na!'

Ik zou het echt niet weten. Ik blijf het antwoord schuldig. Liesl, die ieder jaar kaarten voor 11.11.11 verkoopt, beweert altijd dat wij tot de rijkste landen van de wereld behoren en dat wij ons moeten schamen voor zoveel welvaart terwijl meer dan de helft van de wereld honger lijdt. Wij hebben voedsel, verwarming en een dak boven ons hoofd. Is dat nog niet genoeg, vraagt ze soms. Ma is ook tevreden met haar leven, zolang ze maar iedere avond haar druppeltje elixir kan drinken. En Goffin is ondanks alles ook gelukkig, op voorwaarde dat hij iedere week naar zijn basketbalclub mag gaan. Nu ja, Goffin heeft zelden een eigen mening over moeilijke problemen. Nee, in mijn familie heeft niemand zich de vraag van Joe ooit hardop gesteld.

Joe schudt bedroefd zijn hoofd.

'Wat ben jij nog een gelukkige, naïeve jongen, Wout! Maar je moet over de toekomst nadenken, voor het te laat is. Pas als het kalf verdronken is, dempt men de put. Jij kunt toch goed rekenen? Ik weet dat jij een slim baasje bent.'

'Nou, met mijn wiskundeknobbel is het niet zo goed gesteld,' werp ik tegen.

Beneden op de weg zie ik twee meisjes in een kort rokje voorbijfietsen. Een van hen lijkt op Liesl. Ze heeft hetzelfde haar, draagt hetzelfde rokje en houdt haar stuur op dezelfde manier met één hand vast als mijn zus.

'Ik moet naar huis, Joe.'

'Natuurlijk,' zegt Joe vol begrip. 'Je moet je ouders niet ongerust maken!'

Ouders? Ik vraag mij af of ik Joe in vertrouwen zal nemen en hem vertellen over ma en Goffin en over mijn pa die met Petra hertrouwd is, maar ik zwijg.

Joe heeft zich al omgedraaid en kijkt geamuseerd toe hoe die malle Bosse heftig tekeergaat.

'Dag mannen!' wuif ik.

'Dag Wout,' knikt alleen Cedric.

'Waar heb jij in godsnaam zo lang gezeten?' vraagt Liesl wanneer ik binnenkom.

'Waarom moet jij mij altijd en overal volgen en controleren? Denk je misschien dat jij mijn moeder bent?'

'Controleren? Wat bedoel je daarmee? Ik weet echt niet waarover je het hebt.'

'Niks, Liesl, laat maar zitten!'

Kwaad prop ik een droog stuk brood in mijn mond.

'Is er niets anders te eten?'

'Eten? Jij denkt altijd alleen maar aan eten. Hebben die hersenen van jou al ooit eens over iets anders nagedacht?'

Nog even en mijn zus gaat door het lint, denk ik. Ik vul een glas met water en wil naar mijn kamer glippen als ik zie dat Liesl tranen in haar ogen heeft. Pas nu valt het mij op dat ma er niet is.

'Waar is ma?' vraag ik onzeker.

'Ma is halsoverkop naar het ziekenhuis gereden. Maar dat zal jou zeker worst wezen. Jij bent altijd bij je vrienden. Jij bent nooit thuis op belangrijke momenten. Wat er hier gebeurt, onder jouw ogen, in je eigen huis, kan je blijkbaar weinig schelen. Waarom blijf je trouwens nog bij ons wonen als je liever bij je pa en Petra intrekt?'

Het hoge woord is eruit. Nu begrijp ik het. Liesl is pisnijdig en stikjaloers omdat ik een vader heb die van mij houdt en zij niet. Liesl heeft haar eigen vader verloren toen ze nog een kind was. Ja, dat knaagt natuurlijk aan een mens. Vroeg of laat leidt dat tot een gebrek aan zelfvertrouwen, heb ik ooit eens in een vrouwenweekblad gelezen. Arme Liesl. Doet alle moeite van de wereld om in de gunst van Goffin te komen. Werkt zich te pletter voor wat aandacht en begrip.

'Nou, mijn pa is op dit ogenblik nog wat krap behuisd,' beken ik deemoedig en vol medelijden met mijn zus. Liesl moet niet denken dat in mijn leven wel alles rozengeur en maneschijn is.

Liesl snuit haar neus en gaat in de schommelstoel zitten. Ze kijkt naar mij zonder iets te zeggen. Als Liesl op die manier naar mij kijkt, voel ik mij klein worden. Ik sta op om de stoel een flinke duw te geven, ons geliefkoosde spelletje, maar Liesl roept: 'Stop, Wout! Het is nu geen tijd voor spelletjes. Begrijp jij dan niets? Heb je nog niet door dat ma de laatste dagen op is van de zenuwen? En ben je zo dom dat je niet beseft dat Goffin zich sterk houdt voor haar, maar zich tegelijkertijd verbijt van angst?'

Liesl struikelt bijna over haar woorden.

'Is ma dan nog altijd in het ziekenhuis?' vraag ik onzeker.

'Ma en Peter zijn holderdebolder naar het ziekenhuis gereden na een telefoon van de verpleegster,' herhaalt Liesl voor de tweede keer. Het valt mij op dat ze ma's vriend Peter noemt in plaats van Goffin.

'Maeva kreeg plots weer ademhalingsproblemen. Volgens de dokter komt dat wel vaker voor bij prematuurbaby's. Maar hij wilde er toch nog eens met ma over spreken.

'Verdomme,' vloek ik binnensmonds, vol spijt omdat ik met

die malle Bosse in de duinen zat terwijl ma mij nodig had.

'Hé, ik geloof dat ik ma beneden hoor,' zegt Liesl.

Ze springt op en rent naar het raam. Ma staat op de stoep voor ons huis met haar jas over haar schouders en praat met de buur.

'Ja, onze meid had ademhalingsmoeilijkheden. Er was ook een risico op een klaplong. Ze ligt weer aan de monitor en wordt permanent gevolgd. Maar ze is in goede handen en er is zeventig procent kans dat alles in orde komt, heeft de specialist gezegd.'

Ma's stem klinkt mat en uitgeblust.

'Ma?' roep ik met mijn hoofd door het raam.

'Ik kom,' roept ma terug.

Goffin, die de auto voor de deur geparkeerd heeft, stapt uit en neemt ma bij de arm. Ze komen samen naar boven.

'Willen jullie koffie?' vraagt mijn perfecte zus.

'Ja,' knikt Goffin.

'Graag,' knikt ma dankbaar.

'Later, als ze wat groter is, neem ik Eefje mee naar, naar … naar het Noordzeeaquarium,' roep ik, blij dat ik op het juiste moment zo'n geweldige ingeving kreeg.

Ma kijkt naar mij.

'Nou …' twijfelt ze.

'Dan kan ik haar de slijmvis en de pijlstaartrog laten zien,' doe ik enthousiast.

Goffin wriemelt met zijn handen in zijn vestzak op zoek naar een sigaret, maar bedenkt zich dan.

'Denk je dat onze kleine meid later een goede zwemster wordt?' vraagt hij.

'Vast en zeker,' knik ik.

Ma drinkt zwijgend haar kop koffie leeg.

'Zal ik vannacht bij je blijven?' vraagt Goffin.

Liesl negeert mijn gekuch.

# ELF

Vannacht heb ik gedroomd dat Bosse met Amélie ging. Ze stonden naast elkaar op de top van een duin en kusten elkaar zo hevig dat ze in een wolk van rozenblaadjes naar beneden tuimelden. Maar toen kwam er een wervelwind die de tortelduifjes als twee veertjes optilde en met zich meedroeg over de zee, boven de wolken. Dag, Wout, wuifde Amélie. Bosse grijnslachte. Maar wat droeg Bosse in zijn hand? Een baby? Nee, niet Eefje, gilde ik. Ik nam een aanloop en vloog klapwiekend achter hen aan. Wouter, kom terug, gilde ma met haar hoofd door het raam.

'Wouter! Wouter! Tijd om op te staan,' roept Liesl ongeduldig. Ze schudt aan mijn bed en trekt de lakens weg. Ik krijg het koud. Ik ril.

'Vooruit, Wout, de tijd dringt.'

Ik sta op en plens water in mijn gezicht. In de keuken heeft Liesl de televisie aangezet.

'Laat nog wat cornflakes voor mij over, wil je?'

'Sst, hou nou even je mond,' zegt Liesl. 'Er is vannacht iets ergs gebeurd in ons dorp. Door jouw gegil heb ik amper iets kunnen horen en heb ik het belangrijkste gemist.'

'Wat is er gebeurd?' vraagt ma. Ze staat in de hal in haar pyjama en met haar haren nog in de war.

'Ik geloof dat er ergens een brand was,' aarzelt Liesl en ze zapt naar de lokale zender.

'… in de Kleine Gevelstraat. De brandweer zegt dat er aanwijzingen zijn dat er boos opzet in het spel is. In de gang zijn er sporen van vodden en aanmaakblokjes gevonden. Er zijn geen gewonden, maar de materiële schade is aanzienlijk. Het onderzoek is gestart, maar voorlopig ontbreekt van de brandstichters ieder spoor. En dan nu over naar de sportberichten.'

'De Kleine Gevelstraat,' vraagt ma, 'is dat niet dat kleine straatje aan de andere kant van het dorp dat uitkomt op de vismijn? Welke zot houdt er zich nu bezig met daar brand te stichten?'

'Misschien dronken toeristen,' oppert Liesl. 'Hebben we daar niet regelmatig last mee? Gelukkig is het toeristenseizoen bijna ten einde.'

'Mm,' zegt ma. 'Je mag wel niet vergeten dat de toeristen ook veel geld in het laatje brengen. Zonder hen zou ons dorp geen toekomst meer hebben. Nog geen tien jaar geleden trokken alle jongeren naar de stad. Nu keren ze terug naar hier om een baan te zoeken in de horecasector.'

'Ik blijf altijd hier wonen,' zegt Liesl vastberaden. 'Ik zou de zee nooit kunnen missen! En jij, Wouter?'

Het rommelt in mijn buik. Een naar voorgevoel klimt vanuit mijn maag omhoog en wringt zich een weg naar mijn keel.

'De Kleine Gevelstraat, is dat niet die straat waar de kringloopwinkel is?' vraag ik.

Ik trek mijn jas aan en ren, zonder op een antwoord te wachten, de trappen af. Beneden op de gang bots ik op de buurman.

'Ook een goedemorgen, Wouter. Leren ze tegenwoordig niet meer wat beleefdheid is, jongen?'

'Beleefdheid kennen die gasten niet meer. Dat is verleden tijd,' roept zijn vrouw vanuit de kamer.

Ik zie haar in haar nachtjapon rond de tafel sloffen en koffie inschenken. Ik mompel een vage verontschuldiging en trek de deur achter mij dicht.

De visser steekt zijn hoofd door de deur.

'Je moet je fiets op slot doen, Wouter! Wees blij dat ik hem gevonden en weggezet heb voor hij gestolen werd. Zo'n fiets is algauw een klein fortuin waard! Wat zou je ma zeggen als …'

Ik spring zonder nog verder te luisteren op mijn fiets en steek zonder te kijken de straat over.

In de Kerkstraat staat een scherpe wind die vanuit het noorden naar het binnenland waait. De vlaggen aan de gevels van het gemeentehuis klapperen en wapperen. Een stuk karton scheert rakelings langs mijn hoofd en buitelt over de auto's voor het op de straatstenen belandt. De reclameborden hellen gevaarlijk voorover en dreigen om te vallen. Met moeite raak ik de dijk op.

Op het strand heeft de stoeltjesverhuurder alle stoelen en parasols bedekt met zeildoek en vastgesjord met koorden. Het is eb, maar toch hebben de golven al bijna het peil van de vloed bereikt. Mijn haren staan stijf van het zout en mijn broekspijpen zijn kletsnat wanneer ik buiten adem bij de vismijn kom. Achter het gebouw begint de smalle, kronkelende Kleine Gevelstraat waar ik gisteren Djekke en zijn vrienden heb bezocht. De straat is nu afgesloten. In het midden staat er een brandweerwagen en een politiecombi. Ik trek mijn kap zo diep mogelijk over mijn ogen en slenter onopvallend dichterbij.

'Wat is hier aan de hand?' vraag ik zo nonchalant mogelijk.
'Doorlopen, doorlopen,' maant de agent iedereen aan. 'Maak plaats voor de wagens.'

Ik probeer over zijn schouders te gluren. Drie agenten staan in het midden van de straat nog wat na te praten. De brand is geblust. De brandweermannen rollen met veel vertoon de brandslangen op.

'Welk huis?' vraag ik, hoewel ik het antwoord al ken.

'Dat studentenkot,' wijst een man. 'Het is daar al jaren een komen en gaan van vreemd volk. Niemand die nog weet wie er logeert. Niemand die de eigenaar kent. En er is nog nooit controle van de brandveiligheid geweest.'

'Een raar zaakje, die brand, als je het mij vraagt,' zegt een man die ik herken als de kassier uit de supermarkt. 'Ik ken de jongens die er de laatste maanden verbleven. Soms kwamen ze in de winkel fruit of groenten kopen. Vriendelijke kerels. Altijd beleefd en goedgehumeurd. De grootste is de kok, denk ik. En dan heb je nog die grappige skater.'

'Het waren zwarten. Misschien betaalden ze de huur niet?'

'Hé, ben jij misschien een racist?'

Er ontstaat een klein opstootje. Er wordt geduwd en getrokken. Een vrouw verliest haar evenwicht. De agenten komen aangerend en herstellen zonder moeite de orde.

'Er wordt gefluisterd dat de brand door jongens uit de buurt is aangestoken,' hoor ik iemand achter mijn rug zeggen.

'Zijn er getuigen?' vraag ik langs mijn neus weg.

'Nou, niet echt. Maar een vrouw houdt bij hoog en bij laag

vol dat ze hier gisteren vier jonge mannen in de straat heeft zien rondhangen. Ze hadden een kap over hun hoofd, waardoor ze hun gezichten niet kon herkennen. Maar ze spraken het plaatselijke dialect.'

'Kom, mensen, maak plaats. Maak plaats voor de brandweerwagen,' herhaalt de agent.

'Moet jij niet allang op school zijn, Wouter?'

Ik voel een tikje op mijn rug. Als ik mij omdraai, sta ik oog in oog met mijn onderbuur. Geschrokken werp ik een blik op mijn horloge. Zelfs als ik heel vlug fiets, kom ik nog te laat voor de les van Kossler en mis ik misschien ook nog een stuk van de gymnastiekles.

'Ik ga al, hoor,' roep ik en ik spring op mijn fiets.

Ik haat de gymnastiekles. Ik haat de balk en de brug. Ik raak niet over de bok en heb hoogtevrees. En waarom moet ik in het zicht van al die meiden op mijn hoofd gaan staan? Ik heb ook een hekel aan voetbal. Ik heb nog nooit een goal gemaakt behalve die keer dat de bal recht op mij afkwam, mijn buik raakte en in een wijde boog in de goal belandde. Meestal heb ik echter minder geluk en word ik ingehaald of getackeld door Kobe of Sven.

De gedachten aan de les van Kossler en de turnles maken mij depressief. Ik trap heel hard op de pedalen in een gevecht met de wind. Een trap voor Dieter omdat hij Amélie niet gerust kan laten. Een trap voor Bosse. Een trap voor die onuitstaanbare Kossler. Een trap voor de brandstichters. En nog een voor de brandstichters. En nog een, en nog een ...

Ik ben ongerust. Wat is er met Djekke en zijn vrienden gebeurd? Waar zouden ze nu zitten? Wat weet ik eigenlijk over mijn vriend? Die vraag spookt sinds mijn gesprek met Joe door mijn hoofd. Djekke komt uit Afrika, maar Afrika is zo groot. Te groot om alle zieken en armen die daar wonen te kunnen helpen, zegt ma altijd. Maar ze stort toch ieder jaar een bijdrage voor Artsen zonder Grenzen. Een druppel op een hete plaat, volgens Goffin.

Volgens Liesl komt Djekke uit Tanzania. Dat beweerde ze nadat ze op tv een documentaire had gezien over nomaden die in de woestijn een waterput aan het graven waren. Nu ja, Djekke is Djekke. Of hij nu uit Burkina Faso of uit Namibië komt. Ik vraag mij af wat er met hem gebeurd is en waar hij nu is. Ik hoop dat hij niet ronddoolt in de buurt van de haven. Misschien moet ik ma vragen of hij voorlopig niet bij ons kan komen logeren. Dan moet Goffin wel in zijn eigen appartement blijven wonen. Wat een win-winoperatie zou dat niet zijn!

In de verte zie ik de watertoren. Als ik nog wat harder fiets, ben ik nog net op tijd voor de les van het derde uur.

Op de speelplaats is de brand het onderwerp van gesprek. In een dorp waar nooit iets gebeurt, behalve een burenruzie of een dronkenman die in de goot belandt, is een brand even groot nieuws als een meteoorinslag in een vliegtuigfabriek in Amerika.

'Hé, Wouter, heb jij het al gehoord?'

Amélie trekt aan mijn mouw. Ze slaat haar armen rond Dieter en zegt: 'Mijn Dieter is een held!'

Dieter sputtert tegen en mompelt dat het allemaal de moeite niet was, maar Amélie roept tegen al wie het wil horen dat Dieter, 's nachts gewekt door het geknisper van de vlammen en de rook die langs de brievenbus naar buiten ontsnapte, als eerste de brandweer heeft gebeld.

'Ik deed niet meer dan mijn plicht,' schokschoudert Dieter verlegen.

'Zonder mijn Dieter waren alle bewoners van dat huis gestikt,' zegt Amélie ernstig.

'Die negers zijn door het raam geklommen en via de tuin van de buren net op tijd gevlucht voor het vuur,' beaamt Dieter.

'Vertel het niet verder, maar ik heb van mijn oom gehoord dat er in de brievenbus sporen van een brandbom zijn gevonden,' doet Anton geheimzinnig.

'Een brandbom? Nee toch!' roept Amélie ontzet. 'Stel je voor dat die kerels niet op tijd waren gewekt. Wie doet er nu zoiets? Nee, dat kunnen onmogelijk jongens van hier zijn geweest.'

Als Amélie verontwaardigd is, worden haar ogen zo groot als vliegende schotels en steekt haar wipneus parmantig in de lucht.

'Denk je dan echt dat het boos opzet was?' vraagt haar vriendin, een klein schriel kind met een beugel en een bril met dikke glazen.

'Wat bedoel je?' vraagt Dieter.

'Nou ja, het is toch vreemd dat de brandstichters juist dat huis hebben uitgekozen. Dat stemt toch tot nadenken, niet?'

'Hé, Wouter, heb ik jou vorige week niet samen met een van die zwarten gezien?'

Moniek roept zo hard dat iedereen zich naar haar omdraait.

'Hè …' aarzel ik.

'Die handtassenverkoper waar jij bij stond, was toch een van hen, niet?'

'Geen idee,' antwoord ik schijnbaar onverschillig.

Ik verlaat het groepje roddeltantes en ga op zoek naar Joe en zijn vrienden.

'Ben jij misschien de weg kwijt, knulletje?'

Erik drinkt zijn drankje met zijn hoofd achterover.

'De tweedejaars staan daar,' lacht hij gemelijk. 'Dit is ons terrein, begrepen?'

'Ik zit in het derde en ik zoek Joe en Valentin,' probeer ik dapper. 'Ze zitten in het zesde.'

'Nou, met die kerels zou ik, als ik jou was, niet te veel optrekken.'

Voor mij is het duidelijk: Eric is jaloers omdat ik bevriend ben met de populairste jongens van de hele school.

'Rustig maar. Ik ga al, hoor!'

Een zware hand ploft neer op mijn schouder en remt mij af.

'Jij was daarnet niet in mijn les. Ik denk dat wij eens moeten praten, Wouter.'

Kossler dwingt mij in de richting van de gang te wandelen.

'Vertel eens, jongen, heb je vanmorgen de wekker niet gehoord? Of heeft je moeder je niet op tijd wakker gemaakt. Tja, die ouders van tegenwoordig, nietwaar!'

'Ik woon niet ver van de plaats waar vannacht brand werd gesticht, meneer.'

Kossler trekt zijn wenkbrauwen op.

'Ja, ik heb ervan gehoord. Maar wat heb je daar eigenlijk te zoeken? Heb jij misschien iets met die brandstichting te maken? Volgens mijn inlichtingen ben jij al minstens twee keer met die Afrikanen gesignaleerd.'

'Djekke is mijn vriend, meneer.'

'Zou jij je vriendenkring niet beter tot je leeftijdgenoten beperken? Of zijn kalverliefdes en tienergrappen al niet meer aan jou besteed? Wel, wel, wel.'

Kossler laat vanuit de hoogte zijn blik over mij glijden.

'Wil je mij nu eindelijk vertellen waar jij vanmorgen zat?'

'Ik werd opgehouden door brandweerwagens en politiecombi's.'

'Welja, en misschien ook nog door een vlucht regenwulpen en een meute windhonden.'

We staan voor de deur van het secretariaat.

'Hé, Wouter die kennen we al, hoor! Die heeft al hardhandig met onze nieuwe glazen deur kennisgemaakt,' grapt de secretaresse.

'Ik stel voor dat je deze kleine man een gepaste straf geeft. Wat zou je denken van een opstel met als titel: *Twintig tips om 's morgens op tijd op school te raken.*'

Ik sta voor joker. Iedereen lacht.

'Tot kijk, Wouter.'

Kossler verdwijnt met krakende leren schoenen achter de balie. De secretaresse bijt in een appel en knipoogt naar mij. De knopen van haar bloesje staan vandaag niet open.

## TWAALF

Als ik 's middags thuiskom, heeft Goffin zijn nachtkastje van thuis meegebracht en naast ma's bed gezet. Het is een lelijk, donkerbruin houten kastje met kromme poten en een lade die klemt. Er ligt niets van waarde in: een oude balpen, het bewijs van zijn legerdienst en een paar vergeelde foto's. Ik spuw op een van de foto's, maar veeg de fluim er met mijn mouw weer af. Ik vind ook nog een recente boete voor een verkeersovertreding. Negentig kilometer per uur in de bebouwde kom! Onverantwoord vind ik dat. Plots realiseer ik mij dat Goffin die dag met ma op weg was naar het ziekenhuis om te bevallen. Ja, dat is schrikken als zo'n baby vijf weken te vroeg ter wereld komt.

Goffin is dus min of meer voorgoed bij ons ingetrokken. Dat hij ma wil steunen en later zijn dochter mee wil helpen opvoeden, tot daar aan toe. Maar dat hij zich maar niet in zijn hoofd haalt om ook mij de les te willen lezen. Daarvoor heb ik mijn pa. Eén vader is voor mij al meer dan genoeg.

'Wouter, wat doe jij daar?'

Mijn zus staat in de deuropening en verspert mij de weg.

'Snuffelen in andermans zaken. Hoe diep ben jij gevallen, zeg.'

'Wist jij dat Goffin al een kind had toen hij nog geen twintig was?'

'Hé,' doet Liesl, 'laat eens zien.'

Ze gaat naast mij op ma's bed zitten.

'Kijk eens.' Ik laat Liesl enkele oude foto's zien.

'Pff!' Liesl proest het uit.

'Zie je die smalle broek en die slobbertrui?'

'En die magere benen?'

'Zit er ook een foto van zijn vrouw bij?'

Ik grabbel in de foto's.

'Nee, alleen van een jongen. Misschien zijn zoon?'

'Hé,' roept Liesl verrast uit. 'Die jongen ken ik. Die zit bij ons op school.'

'Misschien komt die ook bij ons wonen. Dan heb jij twee stiefbroers en een stiefzusje. Fijn voor jou, Liesl.'

'Hé, doe nu niet zo cynisch, Wouter. Nieuw samengestelde gezinnen vormen tegenwoordig geen probleem meer. Kun jij je nu nooit eens positief opstellen?'

'Hé, Liesl, geloof jij in eeuwige liefde en trouw?'

'Wijsneus,' lacht mijn zus.

Ze laat zich achterovervallen op het bed en bestudeert de foto's.

'Liesl?'

'Wat?'

'Weet jij waar het vorige nacht gebrand heeft?'

'Ja, in een van die oude panden achter de vismijn, heb ik gehoord. Denk je dat er in ons dorp een pyromaan aan het werk is?'

'Heb ik je al verteld dat Djekke daar woont?'

'Djekke?'

Liesl is opeens klaarwakker en een en al oor.

'Ik heb Djekke vandaag niet meer gezien. Denk je dat hij ervandoor is?'

'Wat weet jij van Djekke, Wout?'

'Djekke is mijn vriend, Liesl.'

'Denk je dat er iemand opzettelijk brand heeft gesticht omdat Djekke daar woont? Iemand uit het dorp?'

'Niet dat ik weet,' aarzel ik. 'Maar er is zo'n jonge agent die hem wel rauw lust.'

'Ach, Ronny. Een groot bakkes als hij zijn uniform aanheeft, maar voor de rest een klein hartje. Weet je wat? Wij gaan Djekke zoeken. En als we hem vinden, stel je mij aan hem voor.'

'Zet Djekke uit je hoofd, Liesl. Hij is mijn vriend, niet de jouwe.'

'En dan?'

Liesl huppelt naar de kast en haalt er ma's mooiste sjaal uit.

'Kom, Wout.'

Liesls rok lijkt op een ballon als we de dijk opfietsen. Ik fiets zo snel ik kan zonder achterom te kijken.

'Niet zo vlug! Heb jij soms krachtvoer gegeten?'

'Moet je maar harder trappen.'

'Niet zo dicht bij de rand. Straks verdwijn je nog in de golven.'

'Ik rijd alle dagen langs het strand. Ik weet wat ik kan.'

Liesl fladdert als een zeemeeuw achter mij aan op haar fiets. Met wapperende haren en een truitje dat opbolt van de wind.

'We zullen eerst een kijkje nemen bij zijn huis,' zeg ik en ik sla de straat achter de vismijn in.

Pas wanneer we vlak voor het huis van Djekke staan, zien we de omvang van de brand. De deur is door de brandweermannen opengetrapt en de muren in de gang zijn zwartgeblakerd. In de gang ligt een half verkoold skateboard. Liesl slaat haar hand voor haar mond.

'Die arme Djekke.'

'Rustig maar, Liesl. Er waren geen gewonden.'

'Waar zou Djekke zitten nu zijn huis onbewoonbaar is geworden?'

'Ik weet het niet. Misschien kunnen we het de verkoper van de supermarkt vragen.'

'Goed idee. Dan kan ik in één moeite nog wat kaas en brood voor vanavond kopen.'

Ik mag van Liesl twee pakjes drop en een fles frisdrank uitkiezen. De verkoper steekt alles in een plastic zak en vertelt ons ondertussen dat hij ons niet verder kan helpen. Die gasten lijken van de aardbodem verdwenen. Misschien zijn ze voorgoed verhuisd of naar een andere stad vertrokken, wie zal het zeggen? Het waren nochtans goede kerels. Goedlachs. Niet agressief en niet luidruchtig of zo. En altijd even beleefd.

'Dan fietsen we maar naar de stad om Djekke te gaan zoeken,' beslist Liesl.

Ja, eenmaal mijn zus haar zinnen op iets gezet heeft, is ze niet meer in te tomen.

'Laat ons de duinenweg nemen,' stel ik voor. 'Daar hebben we minder last van de wind.'

Op de duinenweg trekt Liesl haar truitje uit en bindt het met de mouwen rond haar buik. Ze komt naast mij rijden.

'Zonder al die blokkendozen was het hier mooier,' wijst ze.

Mijn zus is drie jaar ouder dan ik. Ze heeft de duinen nog zonder hoogbouw gekend.

'En het gaat nog altijd verder,' vertelt ze. 'Politici helpen de bouwpromotoren met hun vergunning en de bouwpromotoren storten op hun beurt geld in de partijkas. Geen haan die daarnaar kraait. Neem nou dit project.'

Liesl wijst de bouwwerf aan waar ik met Joe en zijn vrienden ben geweest.

'Hierachter lag vroeger de hoogste duin. Als je op de top stond, kon je op een heldere dag links de vuurtoren en rechts de wadden zien. Maar waarvoor moest de natuur wijken? Juist, voor de macht van de politiek en het geld. Het milieu komt hier altijd op de laatste plaats.'

'Maar Liesl,' probeer ik al zigzaggend rond haar fiets.

'Wouter, kleine broer, jij bent zo naïef,' zegt Liesl vertederd alsof ik nog een kleine jongen ben.

'Om het snelst?' vraag ik en in een onbewaakt moment zet ik het op een sprinten.

Liesl zet onmiddellijk de achtervolging in. Na tien minuten laat ik haar achter mij. Even later zet ik mijn fiets aan de kant en ga in het zand zitten.

'Wat is het nog warm voor de tijd van het jaar,' puft Liesl wanneer ze mij eindelijk vindt.

Ze springt van haar fiets en tovert nog een blikje drank uit haar rugzak.

'Hier, voor jou.'

Terwijl ik mijn lippen aan het blikje zet, spurt ze ervandoor.

'Hé, Liesl! Wacht op mij!'

Ik fiets haar achterna en haal haar in. Zij aan zij bereiken we de stad.

De stad lijkt belegerd door drommen toeristen. Als sprinkhanen zijn ze neergestreken op de terrassen en verorberen daar alles wat eetbaar is: ijs, wafels en pannenkoeken. Lies kijkt rond.

'Waar moeten we met onze zoektocht naar Djekke beginnen?'

'Op het plein?' opper ik. 'Misschien verkoopt Djekke nu daar zijn horloges en handtassen.'

'Kan zijn,' betwijfelt mijn zus.

We fietsen tweemaal over het plein. Een keer denk ik in de verte in een zwarte Djekke te herkennen, maar het is een Afrikaan die gebrande amandelen en gepofte kastanjes verkoopt. Ik word een beetje moedeloos.

'Gaan we een ijsje eten?' stelt Liesl voor om me op te peppen. 'Ik trakteer.'

Terwijl de verkoper een bol chocolade-ijs op mijn hoorntje schept, zie ik Joe en Cedric naast elkaar over de dijk wandelen. Ondanks het mooie weer gaan ze van top tot teen in het zwart gekleed. Een meisje draait zich om en kijkt hen na.

'Hé, daar heb je die griezels,' zegt Liesl.

'Joe is een vriend,' zeg ik verontwaardigd.

'Nou, waarop wacht je dan om hun dag te zeggen en mij aan hen voor te stellen,' zegt Liesl uitdagend.

Ik aarzel. Liesl kan behoorlijk kittig uit de hoek komen in het bijzijn van vreemden die ze niet mag. En Joe en Cedric lijken zo druk in gesprek gewikkeld dat ik geen zin heb om hen te storen. Ze slenteren langs de etalages zonder naar iets te kijken en duiken tenslotte een muziekwinkel binnen.

Liesl kijkt op haar horloge.

'Ik denk dat het stilaan tijd wordt om terug te keren. Morgen kunnen we onze zoektocht voortzetten.'

Liesl gaat op de trappers staan en fietst weg.

'Vooruit, Wout!'

Ik rijd zonder handen, met de wind in de rug. Wanneer we de stadsring oversteken, draait Liesl onverwachts naar links.

'Eerst nog even langs Eefje!'

Eefje ligt niet meer onder de lamp en is van de monitor afgekoppeld. Ze weegt nu al tweeënhalve kilo en haar bedje staat tussen de bedjes van de baby's met wie het beter gaat.

'Hé, flinke meid,' fluistert Liesl. 'Hier zijn je grote broer en zus.'

Eefje slaapt met haar duimpje in haar mond en maakt zuiggeluiden.

'Ze lijkt op jou,' zeg ik.

Liesl lacht.

'Heb je dat pruillipje en dat gefronst neusje gezien? Helemaal jou, Wout!'

'Het gaat goed met haar, nietwaar?' zeg ik opgelucht.

Liesl antwoordt niet.

'Kom, Wout, we moeten gaan. Morgen komen we terug.'

Op de trap zegt Liesl plotseling: 'Je bent geen kind meer, Wouter. Er is iets dat ik je moet vertellen.'

Liesls stem klinkt ernstig.

'Bij de geboorte heeft Eefje te weinig zuurstof gekregen. Het grootste gevaar is nu wel geweken, maar de dokters kunnen ons niet vertellen wat de toekomst haar zal brengen. Misschien zal ons zusje zich niet even vlug ontwikkelen als andere kinderen.

'Hé, Liesl. De grootmoeder van Amélie woog bij haar geboorte tijdens de oorlog maar negenhonderd gram. Ze werd in een deken in een kartonnen schoendoos voor de kachel gezet en kreeg ieder uur de borst. Nu is ze tweeënnegentig en kerngezond.

Liesl kijkt al vrolijker.

'Ons zusje is een vechter,' stel ik mijn zus gerust.

# DERTIEN

Ma is kwaad omdat we zonder haar toestemming naar de stad zijn gefietst. De vaat staat nog op het aanrecht en de bedden zijn niet opgemaakt. Ma moppert dat Liesls kamer een stal is. Ma zeurt omdat ik mijn schoenen niet in de kast heb gezet. Ma roept dat wij altijd alleen maar aan onszelf denken. Ma morst koffie en breekt een kopje. Ma is over haar toeren. Liesl rent stampvoetend naar haar kamer en slaat de deur met een klap achter zich dicht. Goffin trekt zijn wenkbrauwen op. Zijn blik kruist mijn blik. Hij knipoogt en lijkt te zeggen: tienermeiden, holala! En vrouwen, amaai!

Goffin trekt zijn laarzen aan.

'Ik ga maar eens,' zegt hij onhandig.

Ma begint zwijgend aan de vaat. Ik spring op om haar te helpen.

'Ma, we zijn niet alleen naar de stad, maar ook naar het ziekenhuis gefietst. Ik ben er zeker van dat Eefje binnenkort naar huis mag.'

'Ja,' zegt ma, opeens blij. 'Wist je dat onze kleine meid in een week tijd bijna een halve centimeter gegroeid is? Ja, ja, ons meisje doet het goed.'

Ma wrijft met haar mouw over haar ogen.

'Er zit wat zeepsop in,' verontschuldigt ze zich.

Ik zet de vaat in de kast en ruim de rest van de tafel af.

'Mag ik nog naar buiten, ma?' bedel ik. 'Het is toch woensdag.'

'Een halfuurtje,' mompelt ma verstrooid. 'En voor het donker thuis.'

De buurman staat onder aan de trap alsof hij mij heeft opge-
wacht.

'Mag ik raden: jij kwam vanmorgen vast te laat op school.
Waar of niet waar?'

'Sst, niks tegen ma zeggen. Ze heeft het al moeilijk genoeg.'

'Sjongesjonge,' schudt de man afkeurend zijn hoofd.

Sjongesjonge, doe ik hem in stilte na.

'Toch een raar zaakje, die brand,' vervolgt hij. 'Alles wijst op
brandstichting. Brandstichting bij nacht is een zwaar delict. Er
hadden doden of gewonden kunnen vallen. Ik hoop dat ze de
daders vlug vinden. En dat in ons vredige dorp! Is er een pyromaan aan het werk geweest? Of was het een daad van racisme?
Here, bewaar ons voor zo'n precedent!'

'Een van de bewoners was mijn vriend,' zeg ik.

'Jean, waar blijf je?' roept zijn vrouw vanuit de kamer.

'Ik kom, Theresa!'

Ik draai mij om. Klaar om te vluchten.

Met mijn fiets rijd ik de straat op. Ik vraag mij af of Djekke
weer in de keuken van de pizzeria werkt. Djekke zou Djekke niet
zijn als hij niet voor ieder probleem een oplossing zou vinden.
Ja, hoe meer ik erover nadenk, hoe zekerder ik ben dat Djekke
weer gewoon aan het werk is. Ik spurt naar het restaurant. Al van
ver ruik ik tomatensaus en kruiden. De dienstingang wordt ver-
sperd door dozen artisjokken en kratten met uien.

'Een pizza voor jou, maatje?' roept de kok in het voorbijgaan.

'Heb jij Djekke gezien?' vraag ik.

'Het is nu veel te link om die jongen hier nog te laten werken, Wout. Wij willen hier niemand van de sociale inspectie.'

'Weten jullie waar Djekke onderdak heeft gevonden?' vraag ik aan de kelners.

'Nou, hier in ieder geval niet. We hebben nu al geen plaats om onze voorraad te zetten. Bovendien worden we in het oog gehouden door die agenten. Heb je hun combi nog niet voor onze deur zien staan?'

'Ga eens een kijkje nemen bij de bunkers,' fluistert de kok, terwijl hij een pizza uit de oven haalt.

'De bunkers?'

'Sst, jij hebt niets gehoord. Ik heb niets gezegd.'

De kok maakt een vaag gebaar met zijn hand.

'Vanaf nu zijn mijn lippen verzegeld. Ik heb je al te veel verteld.'

Sorry, ma. Ik moet je weer teleurstellen. Een halfuur is onvoldoende om Djekke te zoeken. Een halfuur is zelfs niet genoeg om heen en weer naar de duinen te fietsen. Maar ik moet er naartoe. Ik moet en zal Djekke vinden.

Ondanks ma's verbod om alleen in de duinen te komen, fiets ik toch over de dijk in een boog rond het dorp naar de hoogste top. Vandaar loopt er een verharde weg van bunker naar bunker. In deze tijd van het jaar wordt hij alleen gebruikt door wandelaars die hun hond uitlaten of natuurvrienden die hopen een blauwe reiger te vinden. Nu is er niemand te zien. Behalve het geritsel van het zand tussen het helmgras en het geknars van mijn fiets hoor ik niets. Als er hier vandaag al een mens gewan-

deld heeft, werden zijn sporen door het opstuivende zand uit-
gewist.

Ik ben bijna aan de eerste bunker. Vanaf hier gaat het zand
geleidelijk over in taai gras. Er groeien doornige struiken en door
de gemeente werden langs de kammen evenwijdige hagen aan-
geplant. Ik laat mijn fiets staan en klim boven op de bunker. Ik
spring naar beneden en beland in het midden van de binnenplaats. In de ingang van de bunker ruikt het naar urine en uit-
werpselen. Toch zie ik, behalve enkele sigarettenpeukjes en een
leeg flesje drank, niets dat erop wijst dat er hier ooit een mens
is geweest. Geen spoor dat naar Djekke wijst. Ik ril en klauter
terug naar boven. Het wordt guur en kil. De wind jankt en drijft
het zand door het struikgewas. Halfzes al. Ma zal ongerust zijn.
Net wanneer ik besluit om het smalle pad te volgen dat naar de
zee afdaalt, ontdek ik een minuscuul licht achter de haag. Het
beweegt traag alsof er iemand een sigaret opsteekt.

'Hallo! Hallo, Djekke. Ben jij daar?'

Niemand antwoordt. Word ik gevolgd? Nu het stilaan donker
wordt, voel ik mij niet meer veilig op deze plaats. Zou ma toch
gelijk hebben en is deze plek een ontmoetingsplaats voor drugs-
koeriers en dievenbendes? Ik spring op mijn fiets en probeer als
een volleerde veldrijder naar beneden te duikelen. Weg, weg, weg,
ver weg van deze akelige plek. Tot overmaat van ramp begint het
te regenen. Dikke druppels die met volle kracht op mijn hoofd en
mijn neus pletsen. Ik moet afstappen en te voet verder gaan. Het
zand wordt een modderige brij waar ik tot aan mijn enkels in zak.

Doorweekt tot op het bot bereik ik eindelijk de kustweg, die hier in een wijde boog rond het donkerste stuk van de haven draait. Het regent nu zo hard dat het zebrapad onzichtbaar wordt. De verkeerslichten schijnen zo zwak dat iedere chauffeur gewoon doorrijdt zonder aandacht te schenken aan groen of rood. Ik ga op mijn gehoor af en waag de oversteek. Zonder kleerscheuren bereik ik de overkant. Ik wil ma bellen, maar heb geen beltegoed meer. Een ongeluk komt nooit alleen, zou ma zeggen.

Mijn fiets lijkt wel een speelbal van de wind. Hij zwalkt van links naar rechts en weigert mijn bevelen op te volgen. Ik verlies mijn evenwicht en beland bijna op de straatstenen. Mijn handen en mijn knieën zijn verkleumd en doen pijn van de kou. Mijn kleren plakken als natte vodden tegen mijn rug. Het rommelt in mijn darmen en het eten klotst in mijn maag. Mijn buik staat op springen en ontploft bijna. Ik moet dringend. Maar waar?

Gelukkig verschijnt er meteen een oplossing: de strandcabines. Ze staan een beetje verder, dicht tegen de dijk en beschermd tegen de wind. 's Zomers worden er tussen de cabines gestreepte zeilen gespannen waarachter de meisjes liggen te zonnen. 's Winters zijn ze een bergplaats voor picknickmanden en surfplanken.

Ik sleur mijn fiets de smalle houten trap af. Ik buig dubbel van de krampen. Waarom heb ik ook zoveel ijs gegeten? Ik moet kokhalzen en kan mij nog net op tijd aan de reling vastklampen.

'Bweu!'

Ik kots op de grond en bedek alles met zand.

'Hi, boy! Gaat het wel?'

Was dat de stem van Djekke? Het regent zo hard dat ik niet verder kan zien dan mijn neus.

'Ben jij dat, Djekke?'

Ik tuur in de verte, maar zie niemand.

'Hier, boy, hier!'

Ik ga op het geluid af. Door een waas van regen en mist ontdek ik ten slotte de wenkende arm.

'Hierheen, boy!'

Djekke zit achterovergeleund in een strandstoel onder het houten afdak van de laatste cabine. Hij lacht zoals alleen Djekke kan lachen: smakelijk en luid.

'Wat een verrassing, boy! Maar je bent kletsnat! Kom, dan haal ik een droge handdoek voor je.'

Als Djekke opspringt, zie ik dat hij hinkt.

'Niks aan de hand, boy! Te hoog gesprongen en te laag gevallen. Misschien heb ik wel een heel klein spiertje gescheurd.'

Djekke lacht nu nog harder. Het wit van zijn ogen licht op in het duister.

'Jij hebt gedronken, Djekke!'

'Ikke?' vraagt Djekke quasi verontwaardigd.

Met een grote handdoek wrijft hij mijn haren droog. Zijn adem ruikt zoals het likeurtje van ma.

'Ja, jij,' priem ik met mijn vinger in zijn buik.

Djekke gaat naar binnen en komt even later terug met een stapeltje kleren en een fles jenever.

'Kijk eens wat die goeie, ouwe Djekke voor je gevonden heeft! Goed voor je als je nog niets hebt gegeten. Goed voor je hoofd en je maag. En voor je tikker!'

Djekke slaat zacht met zijn hand op zijn borst.

Ja, ik geloof nu echt dat hij een beetje dronken is.

'Vooruit, boy, trek die natte kleren uit en doe dit aan. Straks vat je nog kou!'

'Hatsjie,' nies ik. 'Hatsjie!'

Ik ga naar binnen en verwissel mijn natte kleren voor het flanellen hemd en de fluwelen broek die Djekke mij in mijn handen heeft geduwd. De mouwen zijn te lang en de broek is minstens vijf maten te groot. Ik sla de pijpen om en strompel als een landloper op mijn sokken naar buiten.

'Aha,' grijnst Djekke. 'Jij moet nog veel groeien, boy!'

Hij schenkt een piepklein borreltje vol.

'Vooruit, drink op.'

Djekke heeft een tweede strandstoel naast de zijne gezet. Hij wikkelt mij als een baby in de deken en stopt het glas in mijn hand. Ik ga naast hem zitten en drink met kleine teugen de jenever op. Help, mijn maag staat nog net niet in brand.

'Daar krijg je het warm van, niet?'

Djekke heeft een wollen muts over zijn haren getrokken en leunt achterover op de stoel met zijn armen achter zijn hoofd. Hij lacht met bloeddoorlopen ogen en witte tanden.

We zitten naast elkaar op het houten balkon, ongeveer een halve meter boven de grond. De regen tokkelt onophoudelijk op het dak en plenst voor onze voeten in het zand.

'Heeft jouw land een zee, Djekke?'

'Nee, boy. Mijn land heeft geen zee.'

'Geen zee?' herhaal ik vol spijt.

'Mijn land is het armste land van Afrika,' vertelt Djekke.

'Door de aanhoudende droogte is meer dan driekwart van het vee gestorven en een sprinkhanenplaag heeft bijna de hele oogst vernield. De kinderen hebben geen eten en moeten van gras en bladeren leven.'

'Wat vertel je, Djekke?'

Djekke maakt met zijn vingers springbewegingen en doet alsof hij alles wat in zijn buurt komt, opvreet. Sprinkhanen!

Nu roffelt hij met zijn handen op zijn dijen en begint wild te zingen.

'Kaya-mna-mna. Kaya-a-mna-ma. Je zult niet sterven. Boven jou rijst een ster. Jouw vader zal de grootste waterput graven. Jouw moeder zal de lekkerste gierst koken. De kinderen van jouw kinderen zullen van het beste water drinken. Kijk, daar verschijnt de ster.'

Djekke weet van geen ophouden en zijn lied gaat ongemerkt over in een geheimzinnige taal die ik niet ken. Hij zingt met zijn hoofd achterover. Zijn ogen worden rood. Zijn dikke, weke lippen zwellen op en worden vochtig. Djekke zingt zo mooi dat ik vergeet waar ik ben. Ik leg mijn hand op zijn been.

'Wat zing je?'

Djekke schrikt alsof hij uit een droom ontwaakt.

'O, boy! Ik zing het lied dat de vrouwen zingen als ze op het veld moeten werken. Over een herder die twijfelt of hij zijn laatste dieren moet verkopen om eten voor zijn zoontje te kunnen kopen. Hij twijfelt en wacht zo lang tot zijn zoontje te ziek en te zwak is om nog mee naar de markt te trekken. Hij laat het kind achter bij een oom en vertrekt alleen naar de stad. Onderweg belandt hij in een storm en wordt hij overvallen door een bende die hem van zijn laatste geld berooft. Wanneer hij na een lange omzwerving terug thuiskomt, is zijn zoontje aan ondervoeding gestorven.'

'Wat een triest verhaal, Djekke. Is het echt gebeurd?'

'In mijn land sterven er dagelijks kinderen omdat ze niet genoeg te eten hebben.'

Djekke begint weer te zingen: 'Kaya-mna-mna. Kaya-a-mna-ma.' Zijn gezang galmt over het strand. Na een tijdje gaat hij over op een geïmproviseerde tekst.

'O, mijn vriend. We kijken samen naar de zee. Hoe houd ik van de regen en de zee. Kaya-mna-mna. Kaya-a-mna-ma. De regen doet de bladeren groeien en de bloemen bloeien. Dit land telt miljoenen runderen. Niemand lijdt hier honger. Niemand sterft hier van de dorst. Steek je hand uit en voel de regen. Groet de zee.'

'Het regent niet meer, Djekke.'

'Kom, neem nog een slokje, boy. Om het warm te krijgen. Nog één slokkie!'

Djekke lacht nu luid.

'Nee, Djekke, ik denk dat ik naar huis moet. Ma zal woedend zijn en Liesl heeft vast al de politie gebeld.'

'Oké, boy. Dan moet jij maar gaan. Wees niet ongerust. Ik heb hier een stoel en een deken en als ik het te koud krijg, trek ik dit nog aan.'

Djekke wijst naar een plastic cape en een zuidwester.

'Djekke, voor ik vertrek moet je mij nog vertellen wat er vorige nacht gebeurd is.'

'Nou ja, helemaal niets bijzonders,' antwoordt Djekke ontwijkend. 'Een paar heethoofden hadden het blijkbaar op ons gemunt.'

'Maar waarom, Djekke?'

'Nou ...' aarzelt Djekke.

Hij steekt zijn hand in zijn broekzak en haalt er een verfrommeld stuk papier uit.

'Dit vond ik enkele dagen geleden in onze brievenbus.'

Ik trek het papier uit Djekkes hand en begin te lezen. De letters zijn uit een krant geknipt en op het papier gekleefd. '*Wij krijgen jou nog wel. Jou en jouw bruine maatjes,*' lees ik met verstomming.

'Ik ga zo vlug mogelijk naar de overkant, boy. Daar zijn mijn vrienden en daar zal ik werk vinden.'

'Denk je?' weifel ik.

'Zeker weten. Kom boy, trek je kleren aan en geef me de vijf.'

We slaan als broeders onze handen in elkaar.

'Tot morgen, Djekke.'

'Wees voorzichtig, boy,' zegt Djekke nog.

Ik weet niet of zijn waarschuwing op nu of op morgen slaat.

# VEERTIEN

Gisterenavond had ik verwacht dat ma hysterisch op mij zou zitten wachten, maar er was niemand thuis. Er lag zelfs geen briefje op het aanrecht, wat op zich al vreemd was, want ma kleeft voor iedere opdracht wel ergens een kattebelletje. Ik heb gedoucht, een stukje amandelbrood gegeten, tv gekeken en ten slotte heb ik Goffin gebeld om hem te vragen of hij wist waar ma bleef. Na lang wachten kreeg ik een slaperige jongensstem aan de lijn en toen heb ik, zonder iets te zeggen, onmiddellijk weer ingehaakt. Daarna ben ik op de bank in slaap gevallen.

Om mijn pa nog op te bellen was het al te laat. Ik werd pas wakker door het gestommel in de gang en de stemmen van ma en mijn zus.

Ma en Liesl liepen zonder dag te zeggen naar de badkamer en begonnen daar onder elkaar een gesprek over immuniteit, ziekenhuisbacterie, hartkleppen en pacemakers zonder mij in hun gesprek te betrekken. Weer verwikkelingen, hoorde ik ma fluisteren. Het komt wel goed, suste Liesl.

O, wat was ik kwaad en gefrustreerd. Ik was zo kwaad dat ik mokkend en verongelijkt naar mijn kamer rende.

Toen Liesl meer dan een uur later het licht aanstak en zachtjes mijn naam riep, kneep ik mijn ogen dicht en deed ik alsof ik sliep. Maar ik heb urenlang liggen woelen zonder dat ik de slaap kon vatten.

Nu ben ik moe. Mijn ogen vallen dicht. Ik kan er niets aan doen.

'Wouter, slaap je soms? Je hebt zeker te laat naar de televisie gekeken of te lang op de computer gespeeld?'

De boze stem van Kossler galmt door de klas. Zijn vuist komt met kracht op mijn lessenaar neer en zijn speeksel pletst over mijn bank. Ik schrik wakker.

'Vertel eens: wat ben je dit jaar eigenlijk van plan? Heb je al ooit je les geleerd? Heb je al één keer opgelet?'

De klas houdt de adem in. Het meisje naast mij siddert. Anton en Sven houden hun ogen strak op hun boek gericht.

'Jouw prestaties vind ik ondermaats. Een twee voor meetkunde en een vier voor getallenleer. Er zal nog heel veel moeten gebeuren, jongen, voordat jij naar het vierde kunt. Weten jouw ouders hiervan? Ik wil ze in ieder geval uitnodigen op het eerstvolgende oudercontact. Ik zal ze voorstellen, als het niet betert, dat je van richting verandert voor het te laat is.'

'Ja maar,' protesteer ik.

'Wat? Ga je mij nu ook nog tegenspreken?' brult Kossler kwaad.

'Ja maar,' herhaal ik, maar de klank van mijn woorden sterft uit onder het gemopper van de leraar.

Ik kijk om mij heen. Niemand snelt mij te hulp. Niemand springt voor mij in de bres, terwijl iedereen toch stilaan weet hoe moeilijk ik het thuis heb. Zelfs het brutaalste meisje van de klas bestudeert aandachtig de rand van haar nagels.

Maar plots en onverwachts klinkt er een iel stemmetje vanuit de hoek. Het geluid komt uit de mond van Zyna Wiegorzieva, een onopvallend meisje met een muizensnuitje. Een prulletje, een niemendalletje dat je amper zou opmerken als ze niet het beste kon tekenen van de hele klas en ze niet vier van haar tekeningen op het prikbord in de hoofdingang hadden gehangen.

'Meneer, Wouters mama is enkele weken geleden bevallen. En het gaat niet goed met de baby, nietwaar, Wouter?'

Ik krimp ineen alsof ik geslagen word. Ik vervloek het meisje dat met zo weinig woorden onverbloemd de waarheid vertelt. Ik zou van ellende in de grond willen zinken.

Kossler lijkt even uit het lood geslagen. Hij mompelt iets in de zin van 'zie jou tijdens de speeltijd' en neemt verstoord de draad van zijn les weer op. Het wordt opvallend stil in de klas.

Tijdens de speeltijd ren ik naar de toiletten en sluit mij op. Ik haat medelijden. Maar na een tijdje moet ik wel naar buiten komen. Helaas is het moeilijk, zo niet onmogelijk, te ontsnappen aan de aandacht van de meiden. Amper zet ik mijn eerste schreden in de gang of daar word ik al omringd door een schare meisjes. Hoe graag zou ik nu heel ver weg willen zijn! Zelfs Amélie dringt zich op het voorplan. Ze slaat haar armen rond mijn schouders en gedraagt zich alsof ze een wit voetje bij mij heeft. En Dieter mompelt zowaar enkele woorden van medeleven. Ik voel mij onwennig bij zoveel aandacht en probeer mij zwijgend uit de voeten te maken. Jongens huilen niet.

Gelukkig bevrijdt de bel mij uit mijn netelige positie. Ik ren naar mijn klaslokaal. En plots sta ik naast Zyna.

'Waar bemoei jij je eigenlijk mee?' fluister ik kwaad.

Zyna kijkt verschrikt.

'Waarom zou Kossler dat niet mogen weten?'

Ik kijk naar haar. Nu ik zo dicht naast Zyna sta, vind ik haar muizensnoetje het mooiste meisjesgezicht dat ik ooit gezien heb. Plots vind ik haar lichtgrijze ogen de mooiste ogen die ik ken. Aan haar dunne, kortgeknipte haren kan nog gewerkt worden. En zijn haar sobere kleren geen teken van stijl? Ik wil haar nog iets zeggen, maar Zyna zit al op haar plaats achter Sven en Anton.

We hebben geschiedenis, mijn lievelingsvak. Deze jonge leraar is een kei! De Spaanse furie? De Guldensporenslag? De ondertekening van het Atlantische bondgenootschap? Hij kan zo boeiend vertellen dat het lijkt alsof hij overal zelf bij is geweest. Door zijn verhaal krijgt ieder verdrag een betekenis, iedere naam een gezicht. Zou hij ook de vrede van Abatellis kennen? Ik lach in mezelf. Het is een grapje dat alleen Liesl en ik kunnen begrijpen.

'Wouter, je droomt!'

De leraar tikt met zijn stok op de landkaart ergens tussen Europa en Afrika.

'En waar zit jij?'

'De vrede van Abatellis,' waag ik.

'Hé?' doet de leraar met een komisch gezicht.

Hij wrijft met zijn handen door zijn haar en trekt zijn lippen in een teut. De klas ligt slap van het lachen.

'Laat mij eens nadenken. Abatellis? Abatellis? Ja, nu weet ik het! Een palazzo in Palermo, nietwaar?'

Ik knik. De klas valt bijna in zwijm van bewondering. Vooral de meisjes. Ik draai mij om naar Zyna. Ze glundert. Ik knipoog onmerkbaar.

De bel gaat. Ik treuzel net zo lang tot Zyna naast mijn bank staat.

'Waar komt jouw vreemde familienaam vandaan, Zyna?' vraag ik om iets te zeggen.

Zyna is helemaal niet verbaasd.

'Mijn grootvader was een Pool. Maar mijn ouders zijn hier geboren, hoor!' legt ze ernstig uit.

We wandelen samen door de gang. Ik ben zo zenuwachtig dat ik zonder uit te kijken bijna Joe omverloop. Hij kijkt dwars door Zyna alsof ze doorzichtig is en zegt: 'Zeg, Wouter, maak jij even tijd ...'

Valentin en Sebastiaan staan samen aan het eind van de gang op Joe te wachten. Ik treuzel.

'... op het pleintje,' zegt Joe nog snel.

Zyna trekt een grimas.

'Je weet toch wat er over die kerels wordt verteld?' fluistert ze.

'Wat dan?' val ik uit de lucht.

'Zeg, ben jij soms doof? Of blind?' roept ze voor ze doorloopt op haar platte, ronde schoenen.

Ik haal mijn schouders op. Een raar meisje die Zyna. Een beetje wereldvreemd ook. Nou ja, met zo'n grootvader weet je maar nooit. Eet vast en zeker alle dagen kool en rode bietensoep. Met van die dikke slierten erin. Brr!


Joe heeft woord gehouden en staat mij met zijn aktetas onder zijn arm op te wachten.

'Hier, Wout,' wuift hij minzaam met de toppen van zijn vingers.

'Het was me een dagje,' hijg ik.

'Kossler?'

Ik knik.

'Een rotvent. Een snertkerel,' gromt Sebastiaan. 'Eigenlijk moeten we die vent eens mores leren.'

'Sst, sst,' sust Joe. 'Wil jij ook een frietje, Wouter? Cedric trakteert.'

De gedachte aan een portie frieten maakt mij week. Maar ik denk aan Liesl, die waarschijnlijk op mij zit te wachten met rozijnenbrood en paté, een combinatie waar Goffins maag, naar eigen zeggen, van omkeert.

'Sorry, Joe,' zeg ik niet zonder spijt.

'Geeft niet, Wout. Ik begrijp dat je op tijd thuis moet zijn.'

Joe komt naast mij fietsen. Hij praat over koetjes en kalfjes. Over de lancering van een Europese ruimtesatelliet die onze kijk op de wereld zal veranderen, over een populaire soap op tv die hij maar niks vindt en over het gevaar van het gat in de ozonlaag, dat volgens hem door de media fel overdreven wordt.

'En, Wouter, heb jij nog iets van die negervriend van jou gehoord?' vraagt hij langs zijn neus weg.

'Djekke vertrekt binnenkort naar de overkant,' vertel ik.

'Zo! Hoe gaat hij dat organiseren, als ik vragen mag?'

'Weet ik niet,' schokschouder ik. 'Sinds die brand heeft hij geen dak meer boven zijn hoofd en woont hij in een van de cabines op het strand. Arme Djekke.'

'Zaterdag verwacht ik je voor onze duinenwandeling. Je weet wel: mens sana in corpore sano, nietwaar?' knipoogt Joe en voor ik er iets tegenin kan brengen, verdwijnt hij om de hoek.

# VISITATIE

Kruis of munt? Kruis is ja, munt is nee. Het geldstuk valt op de grond en rolt onder de kast. Het is kruis. Nu moet ik Liesl over Djekke vertellen.

Liesl is zoals altijd in de keuken in de weer met potten en pannen. Ik pik een sneetje rozijnenbrood, smeer er een dikke laag paté op en prop het vlug in mijn mond.

'Afblijven, Wout!'

Om Liesl te pesten schud ik een hoopje chocoladekorrels in mijn hand en lik het op. Liesl trekt een gezicht als een donderwolk.

'Sorry, Liesl. Ik geef mij over,' roep ik met mijn handen in de lucht.

'Het is nu geen tijd voor spelletjes, Wouter.'

'Sorry, Liesl,' herhaal ik met spijt. 'Ik moet je trouwens wat over Djekke vertellen.'

'Heb jij iets over Djekke gehoord?'

Liesl laat de vaat voor wat hij is en komt tegenover mij aan tafel zitten.

'Vertel op, Wout.'

Ik vertel haar het hele verhaal. Over Djekke die van de regen en de zee houdt en over de kinderen die in zijn land sterven van de honger. Ze luistert aandachtig. Geen enkel detail ontgaat haar.

'Heb jij nog iemand anders over Djekkes schuilplaats verteld?'

Ik knik aarzelend van nee.

'Zeker weten?'

Ik schud nogmaals van nee.

'Komaan, Wout! Waarop wachten we dan?'

Liesl kiepert de inhoud van haar rugzak op de grond en begint hem opnieuw te vullen. Met een half rozijnenbrood, een stukje camembert, een reep chocolade en een fles melk. Ten slotte stopt ze er nog een krant en het voorlaatste nummer van ma's damesblad in.

'Moet Djekke geen warm ondergoed?' vraag ik en ik moet denken aan de thermische hemden van Goffin. Liesl giechelt. Ik ren naar de slaapkamer en kom terug met een stapel dikke, wollen herensokken.

'Hier, draag jij hem maar,' zegt Liesl.

Heimelijk steekt ze nog pen en papier in de rugzak, maar ik heb het gezien.

'Spriet hoopt op een brief. Een brief van Djekke,' zing ik.

'Onnozelaar!'

Liesl is al weg. Wanneer ik eindelijk mijn fiets heb losgemaakt en de dijk oprij, zie ik haar in de verte tegen de wind in fietsen. Met gemak haal ik haar in.

'Kennen wij elkaar?'

'Doe niet zo maf, Wouter, en vertel mij in welke strandcabine ik Djekke kan vinden.'

'De laatste, die met de witte en groene strepen.'

'Wat zal Djekke het vannacht koud hebben gehad!'

Liesls meisjeshart is een en al medelijden.

We rijden in een ijltempo over de dijk. Op het strand rent een groepje kinderen achter een bal. De vlag van de badmeester wappert strak. Verboden te zwemmen vandaag! Op de golfbreker staat een man met een hond. Ze hebben zich, tegen alle voorschriften in, veel te ver in zee gewaagd. De man klimt over de rotsen en verdwijnt tussen de mosselbanken. De kinderen hebben ons opgemerkt en beginnen naast ons door het zand te rennen. Liesl zwaait naar hen en gaat nog vlugger fietsen. De kinderen moeten het tegen haar afleggen. Wanneer ik mij omdraai, zie ik ze in de verte haasje-over springen.

'Oef, we zijn er,' zegt Liesl. Ze trekt haar schoenen uit en sleurt haar fiets de houten trap af. Ik maak mijn fiets boven aan een bank vast. Liesl staat al beneden en kijkt teleurgesteld. Er is geen enkel teken van leven, geen enkel bewijs dat Djekke hier ooit gekampeerd heeft.

'Shit,' vloekt mijn zus en ze wijst op een gebroken raam en de glasscherven in het zand. 'Komt zeker door de wind.'

'Djekke,' roep ik. 'Djekke!' ook al weet ik diep in mijn hart dat Djekke hier niet meer is.

'Wat nu gedaan?' vraagt Liesl ontmoedigd.

We gaan naast elkaar op de houten planken zitten, met opgetrokken knieën en onze rug tegen de wand. De man met de hond wandelt nu langs de waterlijn. De hond dartelt en buitelt door het water en het zand en springt blaffend tegen zijn benen op. Ik fluit. De hond blijft staan en spitst zijn oren.

'Ik wil ook een hond,' zeg ik.

'Het leven is een absurde vergissing,' mompelt mijn zus stilletjes voor zich uit.

Liesl had evengoed iets anders kunnen zeggen. Ik ben een

schaap of ik hou van accordeon of ik wil mijn haar groen laten verven, bijvoorbeeld.

'Kijk! Daar zijn de paarden,' wijs ik om haar af te leiden. Als Liesl zo spreekt, moet ik haar proberen op te peppen.

Zeven paarden galopperen naast elkaar langs de zee. De voorste ruiter geeft zijn paard de sporen. Hij lijkt op Joe.

'Ik wil later een paard. Een paard en een hond.'

'Kom, laten we maar eens opstappen,' zegt mijn zus.

Ze klopt het stof uit haar kleren en peutert het zand van tussen haar tenen. Ze heeft haar teennagels geel gelakt. Zie je wel: mijn zus gaat de marginale toer op. Ik speel het spelletje oudje met stramme benen en kreun. Liesl steekt haar beide handen uit en trekt mij recht.

'Wat nu gedaan, Wout?'

In de verte laten de kinderen hun vlieger op. Ze rennen over het strand en trekken het touw strak. De vlieger stijgt onwillig enkele meters op, draait rond zijn as en valt tollend op de grond met zijn neus in het zand. Op de dijk zie ik een jongen en een meisje hand in hand rolschaatsen. Hun benen bewegen synchroon naast elkaar. Dieter en Amélie? Ik draai mij naar mijn zus.

'Ik heb nog een afspraak, Liesl.'

'Een afspraakje? Hé, Wouter, hoe lang heb jij al een vriendinnetje zonder mij er iets over te vertellen?'

'Nou,' doe ik verlegen.

'O, nee!'

Liesl slaat theatraal haar hand voor haar mond.

'Toch niet zo'n kuiken uit jouw school? Moet je nooit aan

beginnen, hoor! Die meisjes sloven zich voortdurend uit en denken alleen maar aan punten pakken. Kom op, Wouter, vertel mij hoe ze heet.'

'Zyna!' balk ik zonder het te willen.

Liesl steekt haar neus in de lucht en snuift als een wezel.

'Zyna? Wat een ongewone naam. Zal wel een bijzonder meisje zijn. Moet je zuinig mee omspringen.'

'Ik ga maar eens,' zeg ik, blij dat Liesl mij zonder het te weten een alibi verschaft.

'Ik fiets nog even langs de haven om te zien of ik Djekke daar niet vind. Misschien heeft hij een onderkomen gevonden in zo'n oude schuit of in een van de vissersloepen of in die motorboot die daar al dagen op zijn eigenaar ligt te wachten.'

'Succes, Liesl.'

Ik steek de drukke kustweg over en sla de duinenweg in. Liesl fietst de andere kant uit. Wanneer ik even later vanaf de top naar beneden kijk, is ze al niet meer te zien. Ik laat mij met mijn fiets naar beneden rollen en spurt dan de volgende duin weer op. Vanaf hier kan ik bij helder weer tot aan de schorre zien. Wat ik nu zie, bevalt mij echter niet. Een dikke jongen in een rood trainingspak trapt zich op een veel te kleine fiets moeizaam een weg door het zand. De kleur van zijn kleren vloekt met zijn rode haren. Bosse!

Ik maak een bocht van honderdtachtig graden en kom via een smal pad in de straat waar Joe op mij wacht. Ik zie ze al van ver: Joe, Cedric, Valentin en Sebastiaan. Leren jekker, broek in de plooi, ingevette combat. Cool, cool, cool! O, hoe vervloek ik mijn gewone sneakers, alhoewel, volgens ma doen kleren er niet toe.

'Hallo Wouter, net op tijd!' zegt Joe, vriendelijk zoals altijd.

Zijn vrienden begroet ik zonder veel enthousiasme. Maar ja, de vrienden van mijn vrienden zijn ook mijn vrienden, zegt ma altijd. Dus moet ik hun aanwezigheid dulden en redelijk tegen hen zijn.

'Laat je fiets hier maar staan,' zegt Joe. 'We gaan te voet verder.'

Ik klik mijn fiets vast aan een paal en maak enkele rek- en strekbewegingen. Eén twee, één twee. Ik trek mijn buik in en recht mijn rug.

'Mens sana in corpore sano, nietwaar?' grijns ik.

Joe lacht smakelijk.

'Waarop wachten we nog?' vraag ik.

'Op onze vriend. Ah, daar is hij al.'

Ik hoef zelfs niet te kijken om te weten wie daar met veel vertoon met piepende remmen komt aangesnord.

'Hoi mannen.'

'Mooi rijwieltuigie,' grapt Sebastiaan en hij trapt met zijn voet tegen de roestige onderkant.

Bosse lacht schaapachtig.

'Als het maar twee wielen heeft en rijdt, nietwaar, mannen?' zegt Joe verzoenend.

De groep heeft zich al in beweging gezet. Cedric en Valentin lopen voorop. Ik stap naast Joe. Bosse en Sebastiaan sluiten de rij. Bosse houdt geen seconde zijn mond.

'Lekker weertje vandaag, niet? Morgen ga ik naar het aquarium. Heb jij al eens een haai gezien, Sebastiaan? Grr, grr, ik eet je op!'

brabbelt hij in dat kindertaaltje van hem. Sebastiaan antwoordt ja en nee en steekt een sigaret op. Joe is zwijgzaam vandaag.

'Kijk, een Boeing 747,' wijs ik naar een overvliegend toestel.

'Hm,' bromt Joe zonder interesse.

'De reigers laten lang op zich wachten, niet?'

'Hm,' knikt Joe weer.

Achter een raam laat een donkere vrouwenhand verschrikt de gordijnen neer. Valentin kijkt over zijn schouders.

''t Gespuis zit al overal, Joe. Nu dus ook al in de Werrebrouck-straat. Waar moet dat eindigen?'

Joe vloekt binnensmonds. Ik begrijp niet waarom. Uit de te-genovergestelde richting komen twee jongens van mijn school. Ik doe of ik ze niet ken. Ze lopen voorbij en kijken tweemaal om. Tot overmaat van ramp zie ik nu ook mijn zus. Te laat om mij achter de lange benen van Cedric te verbergen. Liesl heeft mij gezien en komt recht op mij af gefietst, maar op het laatste moment draait ze een straat in, rechtstaand op haar trappers met haar neus uitdagend in de wind en een gezicht alsof ze iets heel vies heeft gezien. Ja, zo is mijn zus: onwrikbaar, koppig en asociaal, altijd zeker van haar eigen gelijk.

'Hé, was dat je zus niet, daarnet?' kraait Bosse.

'Waar? Waar?'

Ik trek mijn onschuldigste gezicht en kijk verbaasd in het rond.

'Heeft er misschien iemand een zus gezien?'

'Ach, laat maar zitten,' wuift Bosse. Hij bijt in een appel en spuwt de schil op de grond.

'Kijk. Kijk, wie we daar hebben,' gnuift Valentin.

We staan voor het huis van de vrouw in de duinen. Ze staat voorovergebogen in een rechte hoek en veegt de billen van een klein meisje schoon.

'Dat dat tuig hier ook nog kinderen verwekt!' meesmuilt Valentin.

'Toedeloe. Toedeloe,' danst Bosse met tien vingers achter zijn oren.

'Heksje, toverheksje, maak alsjeblieft vannacht van Wouter een zwarte kraai.'

Bosse springt als een gek in het rond.

'Kom, geen gezeur, jongens,' zegt Cedric.

Ik voel mij beledigd omdat hij mij over dezelfde kam scheert als die onnozele gek.

Het kind heeft ons gezien en wijst krijsend in onze richting. Het roept iets in een taal die ik niet versta. Nee, dit is geen kind van bij ons. Het is een donker meisje met grote ogen en bruine haren die in slierten tegen haar voorhoofd plakken. Misschien is het een zigeunerkind of een vluchtelinge uit Tsjetsjenië. Wat heeft het allemaal al niet meegemaakt? Ik krijg medelijden met het meisje. Ik wuif vriendelijk met mijn hand en voel in mijn zak of ik geen snoepje bij me heb. Ik denk aan Eefje.

'Addergebroed,' zegt Valentin misprijzend.

'Deze mensen horen hier niet thuis,' zegt Cedric. 'Ze komen hier aangespoeld. Verstaan onze taal niet. Vinden geen werk. Moeten wij misschien alle verdrukten van de hele wereld in ons kleine dorp opvangen en te eten geven?'

Joe houdt zich een beetje afzijdig en antwoordt niet. Joe zegt nooit ondoordachte dingen.

Cedric en Sebastiaan lachen met de scheve bekken die Bosse trekt. Ze moedigen hem aan.

'Kom op, Bosse. Ga maar naar beneden als je durft. Laat die vrouw maar eens je tanden zien!'

Ach, machogedrag. Kwajongensstreken, meer niet. Ik lach luid en smakelijk.

Joe fluit en klapt in zijn handen. 'Kom, mannen, laat ons verder gaan. Ik sta hier bijna vast te roesten.'

Hij klimt alvast de duinen op. Ik volg hem op de voet. Joe strijkt over mijn haren.

'Kereltje, kereltje. Jij bent een gevoelige jongen. Maar een maatschappij kan niet draaien op halve kracht. Orde en discipline moet er zijn. Ons volk moet één front vormen. Alleen zo staan we sterk, begrijp je?'

Ik knik zonder te antwoorden. Ik voel een vezeltje tussen mijn tanden. Zou ik een gaatje in mijn tanden hebben? Ma zal blij zijn als ze hoort dat ik dringend naar de tandarts moet!

'Nou, ik zal je maar niet te veel vervelen met ideologisch gepraat,' zegt Joe.

Altijd geweten dat er in Joe een filosoof schuilgaat.

'Doe geen moeite, Joe. Wouter is een softie die niets begrijpt,' zegt Bosse.

'Rode biet met haar op,' sis ik.

'Opgefokte korhoen, gefrituurde wombat, scholfilet.'

'Kom, jongens, kijk eens hoe mooi het hier is.'

Joe staat tussen ons in en wijst in de verte. We bevinden ons in een ongerept stuk duingebied. Zo ver ben ik met ma nog nooit geweest. Ma houdt niet van de duinen. Ma was een bleek stadsmusje voor ze met mijn pa trouwde en hier moest komen wonen voor zijn werk, beweert ze altijd. En nu woont mijn pa in de stad en ma hier. Het kan verkeren!

'De panne, de schorre, het slib, de zee, het achterland. Ons land. Van ons volk. Dat onze voorouders met zweet en tranen hebben bewerkt en bebouwd. Snappen jullie wat ik bedoel, jongens?'

'Ja,' zegt Bosse volmondig.

'En onze kleine toekomstige wetenschapper?'

Ik voel me blozen en mompel iets onverstaanbaars.

'Op dit kereltje moeten jullie goed letten. Later zullen jullie nog veel van hem horen, mannen.' Joe wijst in mijn richting. Cedric en Sebastiaan zijn diep onder de indruk. Ik bloos en begin te hakkelen. Bosse krijgt de hik.

'Heb je de hik? Dat is een teken dat je begint te groeien. Ja, jij moet inderdaad nog veel groeien,' treiter ik.

'En, professor, wanneer ga jij eens met ons mee op nachttocht?' vraagt Valentin opvallend joviaal.

Nachttocht? Hallo! Moet je mijn ma eens kennen! Die schrikt al wakker van een donsveertje dat buiten naar beneden dwarrelt. Hoe ga ik haar vertellen dat ik 's nachts niet in mijn bed zal liggen? Joe kijkt met een brede armzwaai op zijn horloge.

'Halfzes,' zeg ik. 'Dat zie je aan de zonnestand.'

'Juist,' knikt Joe niet zonder verbazing.

Ja, daar staat zelfs Bosse van te kijken.

'Pas maar op of er vliegt een insect in je mond,' wijs ik.

Cedric grinnikt.

Valentin en Sebastiaan maken rechtsomkeert. Net twee soldaten die in de pas marcheren. We volgen hen vanaf een afstand. Bosse is moe. Hij ploegt met zijn sandalen door het zand en klaagt dat zijn tong tegen zijn gehemelte plakt. Ik wandel naast Joe. We praten als twee mannen over belangrijke dingen. Over dijkbreuken en aardverschuivingen. Dingen die nu eenmaal gebeuren en waartegen je niets kunt beginnen. Pech voor diegene die het meemaakt.

We steken Bosse voorbij en laten hem ten slotte achter. Als ik eindelijk mijn fiets weervind, is er van Bosse geen spoor meer te bekennen.

'Hier scheiden onze wegen. Tot kijk, maten,' zwaai ik.

Het is nog een hele rit naar huis. Liesl zal kwaad zijn en ma ongerust. Liesl is altijd kwaad en ma is altijd ongerust. Niets aan te doen. Zo is mijn leven nu eenmaal.

# ZESTIEN

Helemaal in gedachten verzonken, bereik ik de kustweg. Nu is de zee op haar mooist. Donkerblauwgrijs gespikkeld met kleine witte schuimkoppen die oplichten onder het vreemde rode schijnsel van het laatste zonlicht.

Ik wacht tot de rode bol een lange, brede lijn aan de horizon wordt en steek de weg over. Aan het kruispunt in de verte zie ik twee lifters. In de zomer staan er hier wel meer jongens en meisjes te wachten op een gratis zitje in een auto, hoewel ma altijd beweert dat iemand die nu nog altijd niet weet hoe gevaarlijk liften is, niet goed wijs is. Maar zeg nu zelf: als de zon schijnt, de lucht hemelsblauw is en de zee zingt, wie denkt er dan nog aan gevaar? Trouwens, ons dorp bestaat uit vriendelijke, hardwerkende mensen die nooit iemand opzettelijk kwaad zouden doen. Knoestige vissers, goedige landbouwers en veetelers en vrolijke, jonge mensen uit de horecasector.

Maar nu het donker wordt en kil is, geef ik de lifters geen schijn van kans. De paar auto's die voorbijrazen, zijn niet van hier. Bovendien zijn deze lifters mannen en hebben ze hun kap over hun hoofd getrokken, zodat je hun gezicht niet kunt zien. Nou, zal ik hen maar even gaan verwittigen dat ze hier nog tot Sint-juttenmis kunnen staan wachten? Wie slim is, neemt de bus. Kijk, een van de twee wordt al moe en gaat tegen een kilometerpaal zitten. De andere volgt.

'Hallo, mannen, mag ik even jullie aandacht?'

Een van de lifters trekt de kap van zijn hoofd.

'Hi, ik ben Abdirahman. Herken je mij niet in het donker? Die goeie, ouwe Abdi? Superseller Abdi!'

Abdi legt zijn hand op zijn borst op de plaats waar zijn hart klopt. Nu pas zie ik dat de andere jongen Djekke is.

'Djekke!'

'Boy!'

Ik laat mijn fiets vallen en wriemel mij tussen hen in.

'Ik heb je overal gezocht, Djekke. Overal. Ik vreesde dat ik je nooit meer zou zien.'

'Yeah,' zegt Djekke met zijn hoofd naar de grond.

'Kijk eens wat ik voor jullie heb meegebracht.'

Ik maak de rugzak open en deel Liesls lunchpakket uit. Abdirahman steekt een half broodje in zijn mond.

'Hm, heerlijk! Je hebt er geen idee van wat voor een festijn dit voor mijn buikje is. Die goeie, ouwe knorrepot hier vanbinnen zal zich nu de volgende uren wel gedeisd houden.'

Abdi prikt met zijn vinger in zijn eigen buik. Hij lacht. Zijn ogen vonken van genot. Djekke eet echter met lange tanden.

'Heb jij dan geen honger, Djekke?'

Ik geef een klein duwtje met mijn schouder tegen zijn schouder en zijn arm.

'Hé, Djekke, zeg toch eens wat.'

'Au,' zegt Djekke.

'Wat is er?' vraag ik geschrokken.

'Nou …' ontwijkt Djekke mijn vraag.

Hij steekt voorzichtig een stukje chocolade in zijn mond en

begint traag te kauwen. Nu pas zie ik dat zijn kaak opgezwollen is.

'Djekke, wat is er gebeurd?'

'Nou,' zegt Djekke, 'klein ongelukje gehad. Onvrijwillige aanvaring met een stuk rots. Steen ligt op de grond. Djekke huppelt achter bal. Bal raakt steen. Steen wipt in een brede boog omhoog. Raakt kaaksbeen. Au, au, au.'

Djekke praat heel vlug en onsamenhangend. Daarbij trekt hij een komisch gezicht. Maar ik blijf achterdochtig en bezorgd.

'Hoe kan dat nu, Djekke?'

Abdi stoot Djekke aan.

'Vooruit, vertel hem wat er gebeurd is. Die jongen is geen kind meer, hoor.'

'Nou ...' aarzelt Djekke. Maar dan begint hij toch te vertellen: 'Je weet toch nog hoe het in ons huis gebrand heeft? Dat was geen toeval! Iemand heeft het op ons gemunt. Op ons alle vier. Op mij, Moussa, Hussein en Abdi. Waarom? Wat hebben wij verkeerd gedaan? Waarom heeft er iemand een prijs op ons hoofd gezet? Waarom zijn wij in jouw dorp ongewenst?'

'Maar Djekke, dat is echt niet waar! Iedereen houdt van jullie. Jij stoort toch niemand? Jij werkt toch iedere dag voor de kost? Jij vindt toch altijd een baantje? En voor de kinderen ben jij de grootste skater die ons dorp ooit heeft gekend. Jij bent hun held. Iedereen kijkt naar je op. En zelfs Liesl valt in zwijm als ze jouw naam nog maar hoort.'

Oei! Ik sla mijn hand voor mijn mond. Ik heb te veel gezegd. Ik heb Liesls geheim verteld. Wat zal ze kwaad zijn! Maar Djekke heeft niets gehoord. Hij vervolgt: 'Nou, gisteren zaten we rond halfelf in de strandcabine. Ik weet nog hoe hard Hussein snurkte voor ik zelf in slaap viel. Plots werden we gewekt door het geluid van brekend glas en vallende scherven. Van schrik kropen we in een hoek onder onze dekens en bleven daar wachten op wat komen zou. Minutenlang bleef het stil. We hoorden alleen maar de branding en de aanrollende golven. Maar plots werd onze aandacht getrokken door sluipende voetstappen. Ons hart klopte snel. Bonk, bonk, bonk. Wat hadden we een angst! Stel dat de brandstichters ons gevonden hadden en hun luguber werkje wilden afmaken? Wie zou ons hulpgeroep horen? Wie zou er ons komen helpen? We bleven dus heel stil in onze hoek zitten en hoopten dat onze belagers zouden denken dat er niemand binnen was. Toen vloog er plots een steen op het dak en een steen door het gebroken raam en nog een steen tegen de deur en een steen in het zand. Iemand begon aan het slot te morrelen. Ja, toen werd Abdi heel bang.'

'Jij werd bang, Djekke. Jouw witte tanden begonnen te klapperen van angst.'

'Nou, boy, reken maar dat we bang waren. Dat was slecht volk! Wat waren die mannen van plan? Wilden ze ons alleen maar schrik aanjagen? Of wilden ze ons een pak rammel geven of, erger nog, ons doden? We legden ons oor tegen de houten wand. Gedurende een hele tijd konden we alleen het klotsen van de zee horen. Toen riep er een stem: 'We moeten ze uitroken voor dat schorremorrie naar buiten komt.'

'Ja, boy, dat was te veel voor ons. We deden onze schoenen aan, telden tot drie, trokken de deur open en zetten het zo vlug we konden op een lopen.'

'Gelopen dat we hebben, boy! Alsof we voor ons leven moesten rennen met een roedel wolven achter ons aan.'

'Werden jullie gevolgd?'

'Ja,' zegt Abdi. 'We zagen vier schimmen in donkere kleren met een bivakmuts over hun hoofd. Eerst bleven ze even aan de grond genageld staan, maar toen we het op een spurten zetten, zetten ze onmiddellijk de achtervolging in.'

'We hebben zeker een halfuur moeten rennen voor we ze van ons konden afschudden. Maar Abdi en Djekke zijn supersnelle jongens, hoor!'

'Hebben jullie gevochten?' vraag ik.

Djekke laat de palmen van zijn handen zien.

'Wat denk je wel van ons, boy? Deze handen zijn onschuldig. Aan deze handen kleeft geen bloed.'

'Maar hoe kom je dan aan die gezwollen kaak?'

'Nou, toen we de deur opentrokken, stond er op enkele meters afstand een man met een steen in zijn hand. Hij gooide zonder een minuut te aarzelen. Ik heb mij nog op tijd kunnen bukken, maar bij Djekke was het helaas raak.'

'Moordenaars,' zeg ik en ik vloek zo lang en zo hard dat Abdi en Djekke tegelijk beginnen te lachen.

'Nou, boy, jij kunt er nogal wat van.'

'En, wat nu?' vraag ik.

'Wij zijn op weg naar de stad, boy.'

'Geef me je adres, Djekke. Dan kan ik je komen bezoeken.'

'Het is een andere stad, boy. Ver van hier. En daarna gaan we naar de overkant.'

'Neem me mee, Djekke. Neem me mee naar de overkant.'

'Jij bent een man, boy. Jij moet voor je ma, je zus en je kleine zusje zorgen.'

'Zie ik jullie dan nooit meer terug, Djekke?'

'Nou, boy, deze jongens hier gaan het daar maken. En als ze rijk zijn, kopen ze een auto en komen ze jou bezoeken. Beloofd, boy. Beloofd.'

Abdi neemt een slok van de melk en een stuk brood.

'Eerst de inwendige mens versterken.'

'Jullie gaan toch niet te voet?'

'Zie je deze sterke benen, boy. Die droegen mij ooit de Bagzane over.'

Abdi wijst naar zijn benen en lacht. Maar ik zie in de verte de koplampen van een auto opdagen.

'Opgelet,' verwittig ik.

Abdi en Djekke trekken hun kap over hun hoofd en gaan met hun rug naar de weg aan de kant zitten. De auto vertraagt en stopt. Het licht van de koplampen schijnt pal in mijn ogen.

'Hé, Wouter, jongen. Wat doe jij hier nog zo laat op deze verlaten weg?' Moest jij niet al lang thuis zijn?'

Die stem ken ik goed. Het is de stem van Moniek.

'Hoi, Moniek,' roep ik.

Moniek heeft haar hoofd door het raam gestoken en kijkt nieuwsgierig naar mijn vrienden. Ze is duidelijk niet van plan om zich zomaar te laten wegsturen.

'Kom eens hier, Wouter,' wenkt ze met haar vinger.

Gehoorzaam loop ik naar de auto. Ik gluur door het raam.

Achter het stuur zie ik Erik zitten. Die ontbrak er nog net aan!

'Zeg eens, Wouter, zijn dat niet die negerjongens waar de politie naar op zoek is?'

'Weet ik niet,' schokschouder ik.

'Was jij niet met een van hen bevriend? Ja, nu weet ik het weer! Jij was altijd bij die skater, die knappe kerel met dat prachtige lijf.'

'Hela! Hela!' doet Erik verongelijkt.

'Wel,' dringt Moniek aan. 'Heb je misschien je tong verloren? Ik wacht op een antwoord, hoor.'

Ze stapt resoluut uit de auto en duwt mij opzij. Ik kijk naar Djekke en Abdi. Gaan ze het op een lopen zetten? Ik spring voor hen in de bres.

'Oké, Moniek. Rustig maar. Dit zijn Abdi en Djekke. Ze gaan naar de stad. Laat hen alsjeblieft met rust. Ze hebben het al moeilijk genoeg. Hun huis is afgebrand en gisteren werden ze in hun schuilplaats door een groepje jonge kerels aangevallen.'

Moniek staat in het licht van de koplampen: witte piekharen, dik laagje lipstick op haar lippen, blauw lijntje onder haar ogen. Die ogen gloeien van verontwaardiging. Die lippen krullen van woede.

'Wie is er zo onverdraagzaam dat hij een arme stakker geen geluk gunt? Wie kan er zo laf zijn?' vraagt ze vol walging.

'Kom maar, mannen, het is oké,' zeg ik. 'Dit is goed volk!'

Abdi en Djekke schuifelen naderbij.

'Ik ben Moniek.'

Moniek drukt de grote, zwarte hand van Abdi.

135

'Abdi.'

'Djekke.'

'Ik ben Erik,' roept Erik door het raam.

'Wat heb je aan je kaak?' vraagt Moniek.

'Nou …' begint Djekke. 'Bal valt op steen. Steen vliegt omhoog en belandt in een wijde boog op kaak.'

'Nee, Djekke,' zeg ik. 'Vertel Moniek de waarheid. Vertel ze maar eerlijk wat er gebeurd is.'

'Ja, vooruit,' dringt Erik aan. 'Vertel ons wat er gebeurd is.'

Abdi en Djekke vertellen nu om beurten het hele verhaal. Over de brandstichting en de aanval van vannacht.

'O, ik haat ze,' roept Moniek. 'Wat haat ik ze!'

Ze stampt van onmacht en woede met haar naaldhakken op de grond.

'Wie haat je?' vraag ik.

Moniek haalt haar schouders op. 'Ze.'

'Weet je wat,' komt Erik tussenbeide. 'Ik geef jullie een lift naar de stad.'

'Het is een andere stad,' zeg ik vlug. 'Ver weg van hier.'

Moniek kijkt naar Erik. Erik kijkt naar Moniek.

'Het is beslist. Eerst rijden we Wouter naar huis en dan brengen we jullie naar de stad. Akkoord? Wouter kan zijn fiets op de bagagedrager vastmaken en jullie leggen jullie rugzakken in de kofferbak. Stap maar in, mannen.'

'Yeah!' zeggen Abdi en Djekke tegelijkertijd.

'Dank je, Moniek,' sein ik.

'Geeft niet,' zegt Moniek.

'Graag gedaan,' zegt Erik

Ik kijk op mijn horloge. Het is al laat. Wat zullen ma en Liesl ongerust zijn!

Tien minuten later sta ik voor de voordeur. Er brandt nog licht in de woonkamer. Zou ma voor mij wakker gebleven zijn? Ik sluip naar boven en steek mijn hoofd door de deur. Ma, Liesl en Goffin zitten rond de tafel. Ik tel drie glazen, een half opgegeten pak koekjes en een lege fles limonade.

'Neem een stoel en schuif erbij,' zegt Goffin verdacht vriendelijk wanneer ik binnenkom.

'Ja, wij moeten eens praten,' zegt ma.

'Het was een noodgeval,' zo verontschuldig ik mij. 'De band van mijn fiets was plat en ...'

Liesl geeft mij onder tafel een stamp tegen mijn benen. Ik kijk van ma naar Goffin. Goffin kijkt neutraal en telt de bloemen op het behang. Ma zwijgt.

'Er is toch niets met Eefje?' vraag ik, opeens benauwd. Ik klop met mijn vuisten op mijn voorhoofd. O, wat ben ik toch een domoor! O, o, o!

'We willen met je praten, Wouter. Van man tot man,' zegt Goffin.

'En van moeder tot zoon,' vult ma aan.

Liesl plukt aan een knoopje van haar rok. Wat is hier aan de hand?

'Mag ik een koekje?' vraag ik om tijd te winnen. Ma schuift de doos in mijn richting.

'Kijk,' begint Goffin ongemakkelijk. 'Jij wilde toch zo graag terug bij je vader gaan wonen, niet?'

137

Ma speelt met een lucifer en Liesl bijt op haar nagels. Het begint mij te dagen. Goffin wil mij kwijt. Ik ben een lastpost. Een jongen die altijd roet in het eten strooit. Een onhandelbare belhamel. Ik houd mij nooit aan een afspraak en ik ben zelden op tijd thuis. Goffin wil mij straffen. Ik druk mijn handen tegen mijn oren en sluit mijn ogen. Ik haat Goffin.

'Laat mij maar,' zegt ma tegen Goffin. En tot mij: 'Ik dacht dat jij oud genoeg was om als een volwassene met ons te praten, Wouter.'

'Ja, Wouter, denk nu eens niet alleen aan jezelf en luister nu eens eindelijk rustig naar wat ma je wil vertellen,' schreeuwt Liesl.

'Hola, hola! Ben jij soms zo volmaakt, Liesl? Zal ik mijn boekje over jou eens opendoen?'

Ma staat abrupt op om een nieuwe limonadefles uit de ijskast te pakken. Vergis ik mij of pinkt ma heimelijk een traantje weg? De koekjes smaken plots naar bedorven spek. Ik blaas de kruimels op de grond. Goffin trekt zijn wenkbrauwen op.

'Ja, laat mij maar bij mijn eigen pa wonen,' zeg ik tegen hem.

Liesl begint onaangekondigd te gillen. Haar ogen en haar neus worden rood en haar sproeten lijken wel donkere vlekken in een spierwit gezicht. Van schrik laat ma de koekjestrommel uit haar handen vallen. Goffin vloekt.

'Genoeg nu,' brult hij.

Het gebeurt niet vaak dat Goffin zijn stem verheft. Maar zijn woorden hebben niet het gewenste effect, want nu begint ook ma aan een tirade. Een heksenketel is dat nieuw samengestelde gezin van ons! Goffin neemt een lepel en slaat ermee tegen het ijzeren deksel van de koekjesdoos. Ma schrikt.

'Sorry, Peter. De stress van de laatste dagen!'

Goffin slaat zijn hand rond ma's schouders en kust haar. Ik kijk de andere kant op.

'Eerst het goede nieuws,' zegt Goffin. 'Over enkele dagen mag ons Eefje het ziekenhuis verlaten.'

'Ja,' beaamt ma, 'ik hoop dat onze kleine meid zaterdag naar huis mag komen.'

'Ze weegt nu al bijna drieënhalve kilo en ze is sterk genoeg om in Siberië te overwinteren.'

'Niet overdrijven, hè,' zegt ma.

'Het slechte nieuws wil ik niet horen,' zeg ik.

Ma kijkt naar Liesl. Liesl kijkt naar ma. Goffin speelt met een sigaret tussen zijn vingers.

'De dokters kunnen ons niet volledig geruststellen. Ze weten niet of ons kleine meisje door het zuurstofgebrek bij haar geboorte geen achterstand heeft opgelopen. Zal ze zich psychisch en motorisch even snel ontwikkelen als andere kinderen? Zal ze later kunnen praten, studeren, kunnen lopen? Zal ze zich alleen kunnen redden?'

'Eefje is toch niet gehandicapt?' vraag ik.

Ma's lip begint te trillen. Goffin trekt haar dicht tegen zich aan. Liesl geeft mij een tweede stamp tegen mijn benen, ditmaal met de punt van haar schoen.

'Ik zal altijd voor haar zorgen en altijd van haar houden,' zegt Liesl.

'Ach, ze moet geen bolleboos worden,' zegt Goffin. 'Als mijn dochter maar gelukkig is.'

'Er komen nog moeilijke tijden,' zucht ma. 'Alle leed is nog niet geleden, maar het voornaamste is toch dat ik binnenkort mijn kleine meid dicht bij mij zal hebben.'

'Eefje is een vechter,' zeg ik beslist en die uitspraak bezorgt mij dan weer een dankbare blik van Goffin.

'Mijn dochter is een supermeid!'

'Maar, Wouter,' zegt ma ernstig, 'in het begin zal de baby alle aandacht opeisen. Baby's worden 's nachts wakker en beginnen dan te huilen. En Eefje heeft misschien extra verzorging nodig. Onze nachtrust zal worden verstoord en onze zenuwen zullen op de proef worden gesteld. Met vijf mensen in dit kleine appartement wordt het moeilijk. En ik zou echt niet graag hebben dat je schoolresultaten hieronder gaan lijden. Daarom heb ik je pa opgebeld. Hij ging er onmiddellijk mee akkoord dat je tijdens de week bij hem kwam wonen. Ik weet het, deze regeling is niet de beste oplossing, maar voorlopig zie ik geen andere uitweg. En je wou toch zelf ook graag bij je pa gaan wonen, niet?'

Dit is een patstelling. Het wordt mij droef te moede. Ik houd van pa en vind zijn nieuwe vrouw best aardig, maar ik ben er zeker van dat ik ma en Liesl heel erg ga missen.

'In het weekend kom je natuurlijk bij ons wonen,' beslist ma.

'Ja, Eefje wil haar broer leren kennen, hoor,' zegt Goffin vriendelijk.

Ma lacht zwakjes. Ze bijt zuinig in een koekje en droomt weg.

'Gaan jullie nu maar slapen,' zegt Goffin. 'Komt tijd, komt raad. Ik wil nu graag nog even met jullie ma alleen zijn.'

# SEVENTIEN

'Vertel mij over je zusje, Wouter.'

Zyna laat haar blote benen over de rand van de bank bengelen. Ze draagt korte, roze sokken met beren op en schoenen zonder hak. Zyna is nog maar dertien, maar zo bijdehand, zo intelligent en zo hoogbegaafd! Ze spreekt Engels alsof het haar moedertaal is en draait haar hand niet om voor een aartsmoeilijk vraagstuk van fysica. Zyna is de beste leerling van de klas!

'Toe, vertel mij alles over je zusje, Wouter,' dringt ze aan.

'Mijn zusje. Ze is zo vreselijk klein,' zucht ik. 'En ma is ongerust. Ze vreest dat Eefje haar hele leven een zorgenkindje zal zijn.'

Zyna zwijgt. Ze is het enige meisje dat ik ken dat vijf minuten haar mond kan houden. Ze doet mij aan Djekke denken. Bij Zyna kan ik, net zoals bij Djekke, helemaal mezelf zijn.

'Mijn vriend Djekke wil naar de overkant,' mijmer ik. 'Wil jij naar de overkant, Zyna?'

'Later. Later misschien,' antwoordt Zyna ontwijkend.

'Denk jij ook niet dat de mensen aan de overkant ervan dromen om naar hier te komen?'

'Wat probeer jij mij eigenlijk te vertellen, Wouter?'

'Nou, ik beeldde me in dat er aan de overkant misschien net zo'n jongen als ik zit die hoopt dat het elders beter is.'

Zyna trekt haar schoenen en haar sokken uit en plooit haar benen onder haar rok. Alleen haar tenen steken onder haar kleren uit.

'Jij bent een rare jongen, Wouter. Maar ik vind het plezierig dat je over de dingen nadenkt. Oppervlakkige kerels interesseren mij niet.'

Ik voel mij gevleid. Ik steek mijn arm uit en leg hem losjes over de rugleuning, juist boven dat rattenkopje van haar. Slechts twee centimeters scheiden mij van haar hoofd en haar schouders.

'Wist je dat mijn grootvader nog nooit in zijn leven de zee heeft gezien?' vertelt Zyna ongevraagd. 'Hij komt uit een streek waar de mannen in de mijnen afdalen en het altijd naar zwavel stinkt. Ik ben in mijn leven nog maar één keer in zijn geboortestreek geweest om mijn neven en nichten te bezoeken. Wat was ik blij dat ik snel kon terugkeren!'

'Ik ken niets anders dan de zee, het strand en de duinen,' mijmer ik. 'De zee is een deel van mij. Als ik bij mijn pa ga wonen, zal ik haar heel erg missen.'

'De zee zal altijd in je hart blijven wonen,' zegt Zyna.

Ik laat mijn arm zakken tot hij op Zyna's schouders ligt. Zyna trekt zich niet weg. Het lijkt wel de gewoonste zaak van de wereld: mijn hand die losjes op haar schouders rust.

'Ja, ik ken de zee op mijn duimpje. Kijk, links achter de vuurtoren wordt het donker. Zie je die zwarte wolk die komt aangezeild? Dat betekent storm. Binnen anderhalf uur kun je geen steek meer zien. En zie je die schuimkoppen die komen aangerold? Het zand dat langzaam opstuift? Ik voorspel minstens windkracht tien.

'Brrr, de zon schuift al achter de wolken,' rilt Zyna. 'Ik krijg het koud.'

'Hier, neem mijn jas maar,' bied ik aan, bang dat Zyna zou opstappen.

'Dank je, heerlijk warm!'

Zyna zit nu lekker ingeduffeld in mijn blauwe jas. Alleen haar neus steekt uit de fluwelen kraag. Ik voel mij een hele held. Niets dat op dit ogenblik mijn geluk nog kan verstoren, behalve ... Nee maar! Van ergernis blijft mijn mond open staan.

Beneden op het strand komen Bosse en Joe aangewandeld. Joe, zoals altijd bedaard en met zijn handen in zijn zakken, Bosse als een kleine, wilde baviaan. Het lijkt wel of die twee elkaar heel wat te vertellen hebben. Bosse gesticuleert met zijn handen. Joe luistert aandachtig. Hij knikt af en toe en werpt dan in die typische beweging zijn kuif naar achteren. Nu blijft hij staan en steekt in een trage beweging een sigaret op. Hij heeft zich omgedraaid en kijkt in onze richting. Ik wil roepen en wuiven, maar bedenk mij dan.

'Hé, daar heb je die griezel,' zegt Zyna.

'Hola! Je hebt het hier wel over mijn vriend,' zeg ik bestraffend.

'Jouw vriend? Weet je dan niet wat er over die zogenaamde vriend van jou en zijn kornuiten wordt verteld?'

'Joe is een goeie kerel,' houd ik vol. 'Altijd beleefd en correct. Met hem kun je tenminste over belangrijke dingen praten.'

'Zoals?'

'Nou ...'

Ik denk na. Het is moeilijk om Joes ideeën juist weer te geven.

'Het gaat niet goed met ons land. Iedere dag wordt het door vluchtelingen en asielzoekers bestormd. Ze komen naar hier zonder geld, kennen onze taal niet, vinden geen werk. Weet je wel hoeveel ze ons land jaarlijks kosten? Wij hebben dringend goede regels en wetten nodig om die toevloed in te perken.'

Heb ik iets verkeerds gezegd? Zyna wrikt zich los uit mijn arm en springt op. Nu staat ze voor mij met zo'n minachtende blik dat ik er koud van word. Maar ja, Zyna is nog maar een kind. Denken op lange termijn is blijkbaar nog niets voor haar. Ik moet geduldig zijn met dit meisje.

'Kom, Zyna, dan leg ik je uit waar het op staat.'

Maar Zyna kijkt naar mij met een blik van ongeloof en verachting.

'Als jij op die manier denkt, wil ik nooit ofte nimmer nog iets met je te maken hebben, Wouter.'

'Hoe denk ik dan?'

Zyna schudt medelijdend haar rattenkopje.

'Ongenuanceerd, kwaadaardig, naïef, kleinburgerlijk, racistisch ...'

Zyna komt amper uit haar woorden van verontwaardiging. Zoveel moeilijke woorden voor zo'n klein meisje!

'Hallo! Wie is hier naïef?'

Nu is het mijn beurt om medelijden te krijgen met dit meisje dat maar niet wil begrijpen hoe het er in de wereld toegaat.

Zyna hangt haar rugzak over haar schouder en wil weglopen, maar vraagt dan: 'Zeg eens, met wie loopt Joe daar over het strand?'

'Met Bosse,' zeg ik. 'Een kleine, wat domme vervelende jongen die nog maar in het eerste zit.'

'Juist,' zegt Zyna. 'Juist. En heb je je dan nog nooit afgevraagd waarom een laatstejaars zich ophoudt met zo'n kereltje? Denk eens na, Wouter. Denk eens na met dat warrige hoofd van je!'

Ik kijk naar het strand. Joe en Bosse lopen nu naast elkaar over de golfbreker. Joe heeft één hand op Bosses schouder gelegd en praat met zijn hoofd dicht tegen Bosses hoofd gedrukt. Bosse ploegt als een trekpaard door het zand. Wat kan er zo belangrijk zijn dat Joe zomaar samen met Bosse over het strand wandelt?

'Joe voelt zich verantwoordelijk voor die arme knul,' verzeker ik Zyna. 'Ja, zo is Joe nu eenmaal.'

'En zijn drie kornuiten zijn zeker engelbewaarders,' grinnikt Zyna schamper. Ze heeft zich omgedraaid en maakt aanstalten om haar fiets los te maken.

'Hé, Zyna. Je bent toch niet kwaad?'

Zyna haalt haar schouders op.

'Je hebt me teleurgesteld, Wouter. Ik dacht dat je verstandiger was. Misschien vind je zelfs dat ook ik hier niet thuishoor. Zolang je die onzin blijft uitkramen, wil ik niets meer met je te maken hebben,' roept Zyna en weg is ze op haar fiets.

Meisjes, niet te doorgronden! Wispelturig, labiel! Vandaag juffertjes in spe, morgen impulsieve kuikens. Ik spring ook op mijn fiets en rijd op mijn gemak naar het centrum. Het is koopjesweek en in alle winkels is het dringen en aanschuiven. Ik denk aan de jeans en de donkerblauwe trui met ritssluiting die ik zou willen kopen en duik de H&M binnen. Nu het uitverkoop is, liggen de kleren in een onontwarbaar kluwen op de

145

vloer en in de grabbelton. Dat zal zoeken worden naar de juiste maat!

Voor de pashokjes staat een lange rij. De laatste in de rij is mijn zus.

'Hé, Liesl, heb jij al iets gevonden?'

'Curieuzeneuzemosterdpot!'

Liesl laat mij een stapel rokken en topjes zien.

'Heb jij dan geld, Liesl?'

'Gaat jou niks aan,' bromt mijn zus.

'Ik zoek een jeans en zo'n donkerblauwe pull.'

'Heb jij dan geld, Wout?'

'Gaat jou ook niks aan!'

Ik baan mij een weg naar de mannenafdeling.

'Dat vind ik nou echt leuk, Dieter,' hoor ik een meisjesstem zingen en ik sta oog in oog met Amélie. Ze houdt een groen-met-beige muts in haar handen en kijkt vertederd naar Dieter.

'Nou, toch maar liever niet,' weert Dieter haar af.

'Wil jij niet eens proberen, Wouter?' vraagt Amélie en voor ik het weet, sta ik met de muts op mijn hoofd voor de spiegel.

'Zo ben je keicool!' lacht Amélie.

'Nou, bedankt,' zeg ik en ik probeer mijzelf te verlossen van haar overdreven aandacht.

'Of dit? Of deze?' hoor ik haar nog opgewekt zingen, terwijl ze enthousiast tussen de koopjes rommelt.

'Ik zoek een blauwe pull,' zeg ik.

'Ik weet precies wat jij bedoelt, Wouter. Blauw is altijd mooi. Jij hebt tenminste klasse. Ga maar eens kijken achteraan in de winkel. Daar vind je beslist wat je zoekt. O, ik wou dat Dieter ook zo'n goede smaak had.'

Amélie zoekt haar spullen bij elkaar en troont mij bij de arm mee naar de uiterste hoek. Daar hangen nog heel wat mooie dingen bij elkaar, maar ik schrik van de prijs.

'Welke maat heb je, Wouter?'

Amélie laat haar kennersblik over mijn lichaam glijden. Met haar ogen meet ze mijn borstomvang, de dikte van mijn billen en mijn taille. Ik sta voor schut. Van pure ellende maak ik een bolle rug en laat ik mijn hoofd en mijn schouders hangen.

'Amélie,' wenkt Dieter vanuit de verte. 'Amélie!'

'Ga maar, hoor,' zeg ik, blij dat mijn vrijheid weer binnen handbereik ligt. Amélie huppelt weg. Ik kijk haar na terwijl ze naar Dieter rent. Onbewust vergelijk ik haar met Zyna, die zo muizengrijs is dat je haar zelfs in een knalrode bikini en een strooien hoed niet zou opmerken.

Ik denk dat ik maar naar huis ga. De kleren zijn mij hier te duur. En ik heb ma beloofd om haar te helpen. Ik sluip tussen de rekken door. Liesl staat nog altijd bij de pashokjes en Dieter en Amélie kibbelen over de kleur van een sjaal. De muts ligt op de grond. Ik buk mij en steek ze vlug in mijn zak. Niemand heeft iets gezien. Bij de schoenenafdeling zie ik plots het kaalgeschoren hoofd van Valentin. Hij zit op een krukje en wringt zijn voeten in een paar sportschoenen van de duurste soort. Een beetje verder zoekt Cedric naar de juiste maat van een paar schoenen. Ik sluip voorbij zonder dag te zeggen. Wat ben ik blij wanneer ik buiten de frisse zeelucht door mijn haren voel.

'Hela, Wouter! Wou jij je vrienden zomaar voorbijlopen?'

Valentin en Cedric staan voor mijn neus en versperren mij de weg. Cedric wrijft oneerbiedig met zijn hand door mijn haren en Valentin haakt zijn lange klauwen vast in mijn schouder. Ik druk mijn haren terug plat en mompel dat ik thuis word verwacht. Valentin gluurt grinnikend in mijn richting.

'Het wordt dringend tijd dat onze vriend eens meegaat op onze nachttochten, nietwaar?'

'Ja,' grinnikt Cedric. 'De zee en de duinen zijn op hun mooiste in het licht van de maan.'

'Onze kleine wetenschapper moet echt eens meegaan om ons de stand van de sterren uit te leggen.'

'En ons de namen van de sterrenbeelden te leren,' lacht Cedric.

'Eenhoorn, slangendrager, zuidervis,' debiteer ik.

Cedric en Valentin kijken naar mij alsof ik een marsmannetje ben.

'Oké, dan kunnen we Joe vertellen dat je vanavond met ons meegaat. Dat is dan afgesproken, knulletje.'

'Maar ...' probeer ik. Maar Cedric en Valentin zijn al weg.

'Brr, wat een engerds,' zegt Liesl, die plots naast mij staat. 'Wist je dat er wordt beweerd dat ze in de stad een geheim en duister genootschap hebben opgericht?'

'Ach wat, Liesl. Jij bent gewoon gefrustreerd omdat ze nooit oog hebben voor jouw spillebenen.'

Liesl tikt met haar wijsvinger tegen haar hoofd: 'Mijn broertje is niet goed wijs.'

Ik aap haar na: 'Mijn zus is niet goed bij haar hoofd.'

Vergis ik mij of zie ik in een flits het rattenkopje van Zyna achter een bestelwagen wegduiken? Ik fiets naar de overkant, maar er is niemand te zien. Blijkbaar heb ik mij vergist.

'Kom op, Wouter, we moeten naar huis,' roept Liesl.

Ik maak rechtsomkeert en ga naast haar fietsen.

'Wist je dat er plannen bestaan om de kustweg te verbreden? En binnenkort krijgen we langs het strand een tramverbinding met de stad.'

Liesl schudt haar hoofd. 'Ons dorp zal onder de voet gelopen worden door rijk volk en het zal niet lang meer duren of we zijn onze rust en ons geluk kwijt. Er gaan zelfs geruchten dat er een supermarkt en een casino worden gebouwd.'

'De tijden veranderen snel, Liesl,' zeg ik en ik vind mijn uitspraak heel volwassen.

We fietsen nu over de dijk. Het wordt donker. De zon gaat stilaan onder. Op de dijk wandelen nog enkele dagjesmensen. Er heerst een ogenschijnlijke rust. Maar de meeuwen zijn onrustig en krijsen anders dan anders. Dit is stilte voor de storm.

'Denk je dat Djekke veilig is?' vraag ik aan mijn zus.

Liesl steekt haar neus in de lucht en snuift.

'Er hangt gevaar in de lucht. Ik voel het. Er broeit iets in ons dorp, maar ik weet niet wat,' rilt Liesl.

Cedric en Valentin fietsen ons voorbij zonder iets te zeggen. Mijn zus trekt een vies gezicht. Het waait nu heel hard. Liesl moet op haar trappers gaan staan om vooruit te komen. Ik denk dat de storm heviger zal worden dan ik eerst dacht.

'Vooruit, Liesl. Harder trappen,' moedig ik mijn zus aan.

Als we eindelijk ons huis bereiken, ziet de hemel bijna pikzwart.

Onze straat is leeg. De buren hebben hun auto's in de garage gezet en de driewielers van hun kinderen opgeborgen. De straatlantaarn zwiept van links naar rechts. De buurman doet de luiken dicht en maakt alles wat loszit met koorden vast.

'Je weet maar nooit! Ik denk dat er een zandstorm op komst is,' zegt de buurman.

'Kijk, het zand komt al tot hier,' wijst Liesl naar een halve meter zand die tegen het hek in de voortuin is blijven liggen.

'Kom, we gaan naar ma,' beslist Liesl en ze trekt mij de trappen op.

Binnen ruikt het naar koffie. Goffin legt de laatste hand aan het wiegje dat hij zelf ineen heeft getimmerd. Ma stikt lakentjes in roze kant. Ze heeft de rolluiken naar beneden gedaan om de storm buiten te houden, maar de deuren kraken en de dakpannen rammelen dat het een lieve lust is.

'Ik zal nooit wennen aan dat geloei,' zegt ma. 'Geef mij maar de veiligheid van de stad of de rust en de stilte van een dorp in het binnenland.'

'Boring!' roepen Liesl en ik tegelijk.

Goffin zet het wiegje naast ma en trekt stiekem zijn laarzen aan. Ik ben er bijna zeker van dat hij naar die zoon van hem gaat. Mijn zus legt haar armen rond ma en buigt zich over haar schouders. Ma wrijft liefdevol met de toppen van haar wijsvinger over het boordje in roze kant. Achter haar rug vis ik een pekelharing uit een bokaal en slok hem in drie happen naar binnen. Liesl draait zich om en steekt haar middelvinger op. Ze zegt niets tegen ma.

'Ik ga nog een uurtje naar mijn vrienden,' roep ik.

'Met dit weer?' vraagt ma terwijl ze een strik rond het wieg-je bindt.

Ik geef haar een vluchtige kus op haar wang. Liesl kijkt nog altijd kwaad.

'Maak je maar geen zorgen, ma. De zee, de storm, daar weet ik alles van.'

'Blijf uit de buurt van de dijk,' waarschuwt ma nog.

Moeders! Altijd ongerust, altijd even bezorgd!

# ACHTTIEN

'De zee is niet voor mietjes,' zegt Valentin.

Hij kijkt een beetje smalend naar mijn rode rubberen laarzen en mijn plastic jekker. Zelf draagt hij een lange zwarte jas en gloednieuwe leren sportschoenen.

'Ja, als het stormt, verdwijnen de toeristen als bange hazen. Dan is de zee helemaal van ons,' beaamt Cedric.

'Van ons,' echoot Sebastiaan.

'Ik ben een piraat,' gilt Bosse tegen het geluid van de wind in. 'Lang leve de zeerovers!'

Ik had Bosse nog niet in de gaten. Hij verschijnt breed lachend en wild zwaaiend met zijn armen van achter de rug van Valentin. Met zijn korte benen, zijn dikke ronde hoofd en zijn mopsneus lijkt hij niet ouder dan tien.

'Geflipte pekelharing,' sis ik.

'Kom, geen geruzie,' bemiddelt Joe. 'We zijn hier samen om er een prachtige avond van te maken.'

'En om het hogere doel te dienen,' komt Cedric grinnikend tussenbeide.

Valentin lacht schaapachtig en venijnig. Met hem kun je echt niets beginnen.

'Ik durf er alles om te verwedden dat jij nog nooit 's nachts in de duinen bent geweest,' zegt Bosse uitdagend.

'Ik? Ik ken de zee op mijn duimpje!'

'Moet jij niet bij je ma en haar bastaardje zijn,' sart Bosse weer.

Vooraleer ik Bosse een mep kan geven, komt Joe naast mij lopen. Nu houdt Bosse zijn mond. Het pad wordt smaller en ik zorg ervoor dat hij half in het struikgewas belandt. Vloekend en kreunend strompelt hij achter ons aan.

'Wat heb ik gehoord, Wouter. Heb jij een vriendinnetje?' vraagt Cedric plagerig.

'Nou ...' aarzel ik.

'Komkom, geef het maar toe. Jij gaat met die Zyna Wiegor- zieva.'

'Ze is niet meer dan een klasvriendinnetje,' beken ik schoor- voetend.

'Import,' snuift Valentin. 'Ze eet varkenspoten en drinkt slivo- vitsj. En ze begrijpt niets, helemaal niets van onze vaderlandse geschiedenis.'

'Sst,' sust Joe. 'Onze jonge vriend mag gaan met wie hij wil. Ik vind dat meisje trouwens een echt leuk ding.'

'Ze is het slimste meisje van de klas,' zeg ik ter rechtvaardiging.

'Zo, de intellectuelen uit het dorp hebben elkaar gevonden,' grinnikt Valentin.

'Wat doet Bosse hier nog zo laat?' vraag ik aan Joe. 'Moet die kleine niet allang in zijn bed liggen?'

Cedric kijkt naar Sebastiaan. Sebastiaan stoot Valentin aan.

'Nou, Bosse is bij ons in goede handen. Die jongen kan nog veel van ons leren, nietwaar?'

'Ja, kom op, Wouter, som nog eens de namen van de ster- renbeelden voor ons op,' vraagt Joe oprecht geïnteresseerd.

'Eenhoorn, tafelberg, slangendrager,' zeg ik trots op.

We lopen nu met zessen in de pas.

'Lier, vlieg, pauw,' scanderen nu ook Cedric en Sebastiaan om het hardst.

'Nu vreemde insecten,' gilt Bosse.

'Malariamug, gele koortsmug, tseetseevlieg.'

'Laat ons zingen!'

'Kempenland, aan de Dietsche kroon,' schalt het uit de groep.

'Jakkes, wat zingen jullie?' gilt Bosse.

Valentin en Cedric komen niet meer bij van het lachen. Ze beginnen nog luider te zingen.

'Laten we tot aan de zee gaan. Ik wil weten of het water al over de dijken spoelt,' zegt Joe een beetje verveeld en hij klimt als eerste de duinen in.

We volgen een voor een: eerst Cedric, dan ik, dan Bosse, ten slotte Valentin en Sebastiaan. Hoe hoger we klimmen, hoe harder de wind aan onze haren rukt. Het zand, door een onzichtbare hand voortgestuwd, dringt onze kleren binnen. Ik houd mijn ogen half gesloten en knijp met mijn vingers mijn neusgaten dicht. Bosse verliest zijn pet. Ze wordt als een veertje naar boven gezogen en wat verder tegen de grond gesmakt. Bosse vloekt. Wanneer we hijgend de top van de heuvel bereiken, laten we ons, steunend op één hand, langs de andere kant van de helling naar beneden glijden. Bosse schuift uit en valt op zijn achterwerk. Zijn broek hangt vol smurrie.

'Au, mijn staartbeentje,' kermt hij.

'Stel je niet zo aan!' lach ik.

In de duinen, beschermd door de hagen en het helmgras, houden we halt. Hier is het rustiger, maar in de verte raast onophoudelijk de zee. Ik voel hoe onder ons de aarde trilt en rommelt.

'Hoor, een tsunami, Bosse,' zeg ik.

'Ja, dit is de stilte voor de storm,' grijnslacht Valentin.

'De natuur laat haar tanden zien en toont wie de sterkste is,' zeg ik.

'Mooi verwoord,' prijst Joe. 'Jij hebt echt gevoel voor taal, Wouter.'

Joe klimt soepel als een tijgerkat de volgende duin op. Iedereen volgt. Eenmaal boven laten we ons op onze buik neervallen.

'Wow!' gilt Bosse.

Aan de overkant van de weg komen metershoge golven in volle vaart aangerold. Ze beuken tegen de dijk en botsen tegen elkaar op. Het zeesop golft schuimend over de weg en spettert tegen de duinen op. Een muur van water gutst over de weg. Geen chauffeur die zich hier nog door waagt. Ik zet mijn muts op en trek ze diep over mijn oren.

'Toffe muts,' grijnst Valentin.

'Verdomme, ik word helemaal nat,' vloekt Bosse.

Met zijn handen veegt hij het sop uit zijn haren.

'Prachtig, niet?' zegt Joe vol ontzag.

Ja, ik heb altijd beseft dat er in Joe een gevoelige kerel schuilgaat.

We blijven naast elkaar liggen tot onze kleren koud en vochtig tegen ons lichaam plakken. Bosse jankt dat zijn vingers verstijven van de kou en dat het zout in zijn haren plakt.

'Kom, het is tijd. We hebben nog een werkje op te knappen,' doet Cedric geheimzinnig.

Sebastiaan strekt zijn lange benen en strikt zijn veters vast. Joe schudt met zijn pink het zand van zijn kleren.

'Kom op, mannen!'

Nu gaat het in ganzenpas met de wind in de rug in de richting van de duinenweg.

'Kwak, kwak, kwak,' doe ik tegen Bosse met mijn handen als vleugels gespreid in mijn zij en mijn kont naar achteren wanneer de anderen even niet kijken. Maar Bosse geeft geen krimp. Hij lacht en praat in zichzelf.

'Hé, Bosse!' roept Valentin luid.

Bosse duwt mij ongeduldig opzij en gaat naast Valentin lopen. Hij ploetert nu stoer met zijn handen in zijn zakken door het zand en tatert onophoudelijk over ditjes en datjes. Wat erger ik mij aan dat kindertaaltje van hem.

Joe is zwijgzaam. Is hij, zoals ik, doordrongen van de ernst van dit ogenblik? Laat Dieter maar optrekken met Amélie! Laat Zyna maar bij die Poolse familie van haar wonen. Laat Sven en Anton maar van voetbal dromen! Hier, naast Joe, voel ik mij pas goed.

We klimmen nu naar de hoogste top, in de richting van de schorre. Cedric en Sebastiaan komen eerst aan. Ik zie hen even als twee silhouetten, rechtop, in het licht van de maan, voor ze zich aan de andere kant naar beneden laten rollen. We vinden ze terug achter een dorre haag die hen beschut tegen het zand en de zilte zeewind. Ze zitten naast elkaar en praten als mannen, zonder op ons te letten.

'De plannen zijn bijna af. Het is nog maar een kwestie van dagen of weken,' hoor ik Cedric zeggen.

'Heb je gehoord hoe het actiecomité vakkundig werd uitgeschakeld?'

'Ja, feliciteer je vader maar.'

'Het project zal iedereen ten goede komen,' mengt Joe zich in hun gesprek. 'Binnenkort zullen de rijke toeristen massaal naar ons dorp afzakken om er appartementen te kopen en te investeren. De horeca zal floreren en wij zullen werk hebben.'

'Die pressiegroepen met hun geleuter over sociale huisvesting hebben we gelukkig monddood kunnen maken,' grinnikt Valentin weer.

'Wist je al dat mijn vader met de gemeente aan het onderhandelen is om naast de duinen een golfveld aan te leggen? Maar je mag dit nog aan niemand voortvertellen, hoor!' fluistert Cedric, maar ik heb het toch gehoord.

'Ja, we staan voor een historisch kruispunt, Wouter,' zegt Joe terwijl hij zich naar mij omdraait. 'Werk voor iedereen. Begrijp je wat dit betekent voor ons dorp?'

'Maar,' en nu worden de ogen van Cedric harder, 'er zal hier geen plaats zijn voor profiteurs die hun zakken willen vullen met onze zuurverdiende centen.'

'Kom, jongens. Geen woorden maar daden,' schreeuwt Valentin.

'Geen woorden maar daden,' herhaalt Bosse.

Ik adem op het glas van mijn horloge en wrijf het schoon met mijn mouw.

'Nou ...' aarzel ik. 'Ik denk dat ma ongerust zal zijn.' Maar mijn woorden gaan verloren in het geraas van de wind.

'Ingerukt, mars!' zegt Valentin en hij geeft mij een duw in mijn rug.

Nog een duin over? Mijn voeten beginnen pijn te doen. Tot overmaat van ramp schuift er ook nog een dikke wolk voor de maan, zodat ik nog amper iets kan zien. Ik krijg het koud en begin te klappertanden en te rillen.

'Woe-hoe! Woe-hoe!' doet Bosse met zijn handen voor zijn mond.

Nu hij veilig tussen Joe en Sebastiaan loopt, voelt hij zich een echte vent.

'Woe-hoe. Woe-hoe!' boots ik hem na.

'Hé, mannen. Wacht even!' roept Cedric.

We draaien ons om en zien Cedric zwaaiend met een gaslantaarn op ons afkomen.

'Cedric heeft aan alles gedacht,' prijst Sebastiaan hem.

'Pas op dat je niet valt,' zegt Joe.

We blijven wachten tot Cedric met zijn lantaarn voorop loopt.

'Trekken we niet te veel de aandacht?' weifelt Joe.

'Ja, zo maken we de heksen en de spoken nog wakker,' gil ik in Bosses oor.

'Hallo! Heeft er hier iemand een spook gezien?'

'Kijk eens in de spiegel,' sneert Bosse.

'Waarom heeft Joe ons in godsnaam met die kinderen opgezadeld?' vraagt Cedric aan Sebastiaan.

Valentin legt vaderlijk zijn hand op Bosses schouder. Bosse houdt nu wijselijk zijn mond. Wedden dat hij heimelijk in zijn vuistje lacht nu hij zoveel onverdiende aandacht krijgt?

'Stop,' roept Joe opeens.

Hij heeft zijn kap afgezet en zijn zwarte kuif plakt naar achteren tegen zijn vochtige haren. Druppels rollen over zijn geoliede jas. Ik ga naast hem staan en volg zijn voorbeeld, met gespreide benen om niet te vallen en voorovergebogen tegen de wind die ons naar achteren probeert te blazen. We kijken uit over de schorre en het strand.

'Dit is een bijzondere plek, Wouter,' zegt Joe plechtig. 'Aan deze plaats kleeft zweet, bloed en tranen. Hier was het schuiloord van het verzet. Hier werden in het verleden vriendschappen gesmeed en ruzies beslecht. Hier werden echte oorlogen uitgevochten.'

Joe steekt zijn hand naar mij uit, zonder zich naar mij te draaien.

'Kom, Wouter, geef me de vijf en zweer trouw aan onze kameraadschap.'

'Beloofd, Joe,' zeg ik, vervuld van de ernst van dit moment. 'Beloofd.'

'Hé, licht mij eens wat bij,' hoor ik Bosse tegen Cedric zeggen.

Bosse zit op zijn knieën en graaft met zijn handen in het zand. Valentin en Sebastiaan staan onbewogen en zonder een spoortje nieuwsgierigheid het tafereel gade te slaan. Joe steekt traag een sigaret op. Ja, Joe is een denker.

'Wat zoek je, Bosse? Een verloren gewaande schat? Een zeeroverskist?' plaag ik.

'Help me liever,' antwoordt Bosse kwaad. Hij staat gebogen met zijn rug naar mij en probeert met volle kracht een groot en zwaar voorwerp uit het zand te sleuren.

'Hé, laat eens zien. Wat heb je daar gevonden?'

'Komaan, graaf jij het zand weg, dan zal ik trekken,' beveelt Bosse.

Zonder na te denken doe ik wat Bosse zegt. Na enkele seconden staat Bosse hijgend en puffend met een jerrycan in zijn handen.

'Dat zal vuurwerk geven,' mompelt hij tevreden.

'Hé, wat moet je daarmee?' vraag ik achterdochtig.

'Boem!' doet Bosse in mijn oor. 'Boem, boem, boem!'

'De trap is daar, Bosse,' wijst Cedric behulpzaam. 'Zal ik je wat bijlichten?'

'Wees voorzichtig dat je niet valt,' zegt Valentin.

In het licht van de lantaarn zie ik nu ook de trap. Het is de trap die naast het huis naar de duinenweg afdaalt. Hé, als ik mij haast, ben ik daarlangs nog net op tijd bij ma, denk ik.

Maar Bosse sleurt de jerrykan al achterwaarts de trappen af. Het blik hotst en botst. Het weegt zeker twintig kilo.

'Zal ik een handje helpen?'

'Jij?' smaalt Bosse misprijzend. 'Jij kunt nog geen zakje aardappelen van twee kilo naar beneden brengen.'

Joe, Valentin en Sebastiaan lijken geen haast te hebben. Ze staan met z'n drieën naast elkaar op de top van de duin en kijken van boven naar ons. Joe draait zich om. Ja, zo is Joe nu eenmaal. Altijd een beetje afzijdig. Altijd een beetje gereserveerd. Een denker.

Ik wil op de tast achter Bosse de trappen af. Mijn besluit staat vast. Ik laat dit groepje achter. Ik wil ma niet ongerust maken en ik wil nog voor Goffin thuis zijn.

Bosse praat in zichzelf en lacht. Hij duwt en sleurt aan het blik. Ik hoor alleen het geluid van het gekras op de stenen trap. Beneden in het huis brandt er licht. Een zwak schijnsel valt door een scheur in de gordijnen en verlicht een gedeelte van de tuin. Maar wat doet Bosse nu? Hij staat bijna voor het raam en schroeft de dop van het vat. Hij verdwijnt tussen het struikgewas. Ik kan hem amper nog zien. Ik hoor een klokkend geluid en zie zijn schaduw tussen de bomen heen en weer bewegen. Een scherpe benzinegeur prikkelt mijn neus.

'Hé, Bosse!'

'Sst,' sist Cedric. 'Hou je mond, wil je?'

Cedric staat naast mij en zijn vingers haken zich in mijn arm vast.

'Hier blijven, uilskuiken.'

'Stil maar,' fluistert Joe aan de andere kant.

Bosses schaduw is nu achter het huis verdwenen. Het is muisstil. Net op het ogenblik dat ik denk dat ik gedroomd heb, komt Bosse hijgend de trappen opgestormd.

'Opdracht geslaagd.'

Bosses gezicht glimt van de inspanning.

'Vooruit,' zegt Cedric.

Duwt hij de lantaarn in Bosses handen? Zoekend glijdt het licht over de bosjes, het hek, het huis, de trap. Daar is het dak, de deur, het raam, het autowrak.

'Komt er nog wat van?' dringt Valentin aan.

Een arm zwaait met de lantaarn. Bosse zet een been naar voren en leunt met zijn hele gewicht voorover. Zijn voeten zoeken steun op de trappen.

'Grr,' komt er uit een mond alsof iemand een zware inspanning moet leveren.

'Grr.'

Als een vallende ster duikt de lantaarn naar beneden. Bosse wankelt en slaakt een kreet. Ik hoor de zachte plof van iets dat door het zand naar beneden rolt, gevolgd door een kreun en een vloek.

'Au, au, au!'

'Hé, Bosse. Ben je gevallen?'

Plots schiet een enorme steekvlam de hoogte in.

'Rennen,' roept Sebastiaan.

Cedric, wiens vingers zich nog altijd als een klauw in mijn arm haken, trekt mij de duin over. Sebastiaan geeft mij een por in mijn rug en sleurt mij bij de arm mee de helling af.

'Is Bosse gevallen?'

'Verspreiden,' schreeuwt Cedric. 'Hoor je mij? Het is nu ieder voor zich.'

Ik ren en struikel en val. Op mijn achterste schuif ik de duinenrug af. Weg, weg, weg van deze onheilsplek! Joe, Cedric, Valentin en Sebastiaan hebben langere benen. Ze hebben zich al in alle richtingen uit de voeten gemaakt. Maar ik ken de duinen op mijn duimpje. Ik ken de kortste weg.

Ik begin te rennen. Djak, djak, djak. Mijn voeten stampen ritmisch door het slijk en door de plassen. Mijn hoofd is leeg. Mijn broekspijpen worden nat. Wat zullen ma en Liesl zeggen? Djak, djak, djak. Het is al donker. Achter mij vlamt de hemel rood op. Hoor ik de brandweer? Hoor ik de sirenes van een ambulance? Zie ik de zwaailichten van een politiecombi? Mijn hart klopt in mijn keel. Mijn bloed suist in mijn hoofd. Mijn voeten rennen zo vlug ze kunnen, weg van wat ik heb gezien en gehoord.

Bosse komt mij achternagerend. Hij kan niet meer volgen. Zijn gehijg wordt zwakker. Ik ren en ren en ren. Langs de bunkers, door het zand. Ik steek de weg over en vlieg de dijk op. Naar huis! Naar huis!

'Wat is er?' vraagt de oude visser met zijn hoofd door de deur wanneer ik binnenkom. 'Het lijkt wel of je een spook hebt gezien!'

'Het is de storm, de storm,' lieg ik.

'Het zal niet lang meer duren voor hij gaat liggen. Geloof me, morgen wordt een prachtige dag,' voorspelt zijn vrouw vanuit de kamer. 'De hemel wordt nu schoongeveegd. De lucht is al zo zuiver als wat.'

De buurman duwt mij opzij en gaat midden in de deuropening staan. Hij snuift opvallend luidruchtig. Ik krimp in elkaar.

'Wel allemachtig. Dit is niet normaal,' hoor ik hem mompelen. 'Het lijkt wel alsof de duivel ermee gemoeid is.'

'Wat is er?' vraagt zijn vrouw.

'Ruik jij ook die brandlucht? Zie jij ook die kleur van de lucht?'

Ik wacht het antwoord niet af, maar storm de trappen op.

Ma zit voor het raam en kijkt geschrokken op.

'Hé, Wouter,' zegt ze blij wanneer ze me ziet.

Ik ga dicht naast haar zitten. Ma slaat haar arm rond mijn schouders en wrijft door mijn haren.

'Het is niet voor eeuwig, dat weet je toch?'

'Wat?' schrik ik op.

'Je wilde toch zelf ook graag bij je vader gaan wonen?'

'O, dat!'

Ma heft met haar wijsvinger mijn kin naar haar op en kijkt me in de ogen.

'Heb ik je de laatste dagen wat verwaarloosd, jongen?'

'Het is al goed, ma!'

Wanneer ik opsta, zie ik ma met haar vingers over de zachte stof van een babypakje wrijven.

'Ma?'

Ma kijkt op.

'Ja, jongen?'

'Niets, ma. Ik ga maar eens slapen.'

'Ja, morgen is een belangrijke dag,' zegt ma. 'Dan beslissen de dokters of ons Eefje naar huis mag komen of niet.'

Ik kan de slaap niet vatten. Ik wil naar Djekke. Djekke die altijd lacht, die voor alles een oplossing vindt. Ik wil mee met Djekke naar de overkant. Weg van Bosse. Weg van die akelige Valentin. Waar ligt het schip? Ik speur de horizon af. Maar wat zie ik? De vuurtoren staat in brand! Dikke vlammen likken aan het dak. Bosse verschijnt voor het raam en zwaait met een lamp. Maar wat houdt hij in zijn andere hand? Een baby? De baby huilt. Geef hier, die baby, roept Valentin vanaf het dek van een voorbijvarend schip. Hij draagt een zeeroverslapje voor zijn oog. Hij steekt zijn armen uit. In plaats van een hand zie ik een haak. Nee, niet mijn zusje, schreeuw ik en ik wil met een emmer water naar de vuurtoren rennen, maar mijn benen zijn verlamd. Jij gaat voorgoed de cel in, roept Kapitein Haak!

'Opstaan, broertje.'

Ik schrik. Mijn hoofd bonst. Liesl heeft het licht aangeknipt en schudt mij heen en weer.

'Ik ben ziek,' zeg ik.

Liesl legt haar hand op mijn voorhoofd.

'Koorts heb je zeker niet.'

Ik duw de natte lakens van mij af.

'Ik heb de hele nacht wakker gelegen. Kijk hoe ik heb gezweet.'

'Jij bent niet de enige die slecht heeft geslapen. Heb je de pannen boven ons hoofd horen rammelen? En bij de buren is er een boompje door de serre gevallen. En ik heb ook de sirenes van de brandweer gehoord. Het zou mij niet verbazen als de dijk zoals vorig jaar weer helemaal onder water staat. Maar ondanks al dat lawaai sliep jij als een roos, hoor! Je kon je gesnurk tot in de keuken horen.'

'Die gierende wind maakte mij gek,' zegt ma. 'Blij dat de storm voorbij is.'

Ma staat al gewassen en aangekleed in de gang en geeft Liesl een knuffel.

'Als jullie straks thuiskomen, ligt onze kleine meid hier misschien al in haar wiegje.'

'Ja, we gaan papflessen maken en luiers verversen,' wrijft Goffin zich in de handen.

'Op ons kun je ook altijd rekenen, ma. Nietwaar, Wouter?'

'Ik ben ziek,' houd ik vol. 'Ik kan niet naar school.'

Ma trekt haar wenkbrauwen op.

'Zo opeens?'

Ze voelt, net zoals Liesl, aan mijn voorhoofd. Heimelijk stopt ze een wafel in mijn hand.

'Ga je maar vlug klaarmaken, anders kom je nog te laat!'

Lies steekt achter ma's rug haar tong uit naar mij.

'Toe, wees eens tolerant voor elkaar,' zegt ma zonder zich om te draaien.

'Tot straks,' wuift Liesl en ze grabbelt zonder iets te vragen twee wafels uit de koekjestrommel. Ma doet alsof ze niets heeft gezien. Ik treuzel. Trek traag mijn kleren aan. Eet met lange tanden. Leg mijn handen tegen mijn slapen.

'Au, au, au.'

'Vooruit, Wouter,' port ma mij aan. Ze duwt mijn boekentas in mijn handen en werkt mij zacht de deur uit.

Zoals iedere ochtend staat de buurman met de krant in zijn handen in de gang. Hij tuurt naar de hemel.

'Zie je wel dat de wind is gaan liggen. Eens kijken of ze voor de volgende dagen zon of regen voorspellen.'

Ik probeer achter zijn rug naar buiten te schuiven, maar hij verspert mij de weg met zijn lichaam.

'Asjemenou! Moet je dit lezen!'

Ik wacht zijn woorden niet af, maar maak van zijn onoplettendheid gebruik om mij tussen de muur en zijn buik te wringen.

'Waar was jij eigenlijk gisterenavond?' roept hij mij nog na, maar ik ben al ver weg.

De buurman heeft gelijk. De storm is gaan liggen, de hemel is schoongeveegd. Maar het is veel kouder dan gisteren. Ik ril zonder het te willen.

Ik fiets tot aan de krantenwinkel. Alle kranten berichten vandaag in grote koppen over de ontslagen in een autofabriek. De vakbonden plannen zondag een betoging in de hoofdstad. Mijn handen trillen wanneer ik het blad omsla. Wat ik zie, is nog erger dan ik gevreesd heb. Een artikel met de foto van een half afgebrand huis vult bijna de hele pagina. Van het huis blijft nog weinig over. Het dak is ingestort en de muren zijn zwartgeblakerd. In de plaats van de deur en de ramen gaapt er een groot donker gat. Vlug steek ik de krant in mijn rugzak. Om geen argwaan te wekken, koop ik een pakje kauwgom. Wanneer ik buitenkom, zie ik een politiecombi. Ik vlucht weg in tegenovergestelde richting en maak een omweg.

'Hé, Wouter, ik wist niet dat je in onze buurt woonde!'

Zyna heeft zich zo goed ingeduffeld dat ik haar bijna niet herken. Ze komt naast mij fietsen.

'Is er iets met jou, Wouter? Heb je een spook gezien?'

'Met mij? Wat zou er kunnen zijn?'

We steken de brug over en rijden op het smalle pad langs het kanaal.

'Oké, ik heb slecht geslapen,' beken ik schoorvoetend.

'Heb jij slecht geslapen? Wie slecht slaapt, heeft een slecht geweten. Heb jij een slecht geweten, Wouter?'

Zyna kijkt mij van opzij aan. Wat een bemoeial is dit kind! Ik ga op mijn trappers staan.

'Waarvoor vlucht jij weg?' roept Zyna mij nog achterna.

Het is nog vroeg als ik met mijn fiets de schoolpoort binnenrijd. Maar een paar jongens en meisjes die met de bus naar school komen, zijn al aanwezig. Ze staan in groepjes met elkaar te fluisteren. Ze weten iets, denk ik bezorgd. Naast het muurtje van de fietsenstalling zie ik Valentin en Cedric staan. Ik maak vlug rechtsomkeert en wacht tot de surveillant naar de andere kant wandelt om mijn fiets achter de bloembakken te stallen. Eigenlijk verboden terrein, maar het laatste wat ik wil, is een confrontatie met die twee.

In de verte ontdek ik Amélie. Ze is alleen en kijkt zoekend in het rond of ze niemand van haar vrienden ziet. Nu stevent ze recht op mij af. Te laat om mij uit de voeten te maken.

'Hallo, Wouter. Wat zie jij er bleekjes uit vandaag.'

Amélie huppelt van het ene been op het andere en wuift naar een jongen van een andere klas. Haar haren fladderen leuk rond haar gezicht en, wanneer ze zich bukt om iets uit haar rugzak te pakken, kan ik een stukje van haar ronde borsten zien. Maar ik heb andere dingen aan mijn hoofd. Met mijn hand voel ik de krant in mijn broekzak branden. Amélie heeft nu Dieter ontdekt.

'Hé, Dieter,' zwaait ze.

'Heb je het al gehoord,' roept Dieter van ver.

Ik krimp ineen van angst. Ze weten het, denk ik. Ze weten het van vannacht. Straks zal er niemand meer met me willen praten. Misschien word ik zelfs van school gestuurd.

'Wat?' vraagt Amélie vrolijk.

'Ze hebben gewonnen! Ze hebben met één-nul gewonnen van Sofidoma!'

'Hé, wat leuk,' zegt Amélie en ze loopt arm in arm met Dieter van mij weg. Ze weten het nog niet. Wat een geluk!

'Heb jij je vraagstukken gemaakt?'

Dat was het stemmetje van Zyna. Ze staat voor mij met een zwarte kaft in haar handen.

'Vraagstukken?' val ik uit de lucht.

'Zie je wel,' zegt Zyna. 'Jij gedraagt je niet zoals anders.'

Ik kijk de andere kant op. De speelplaats loopt stilaan vol. Twee leraren surveilleren naast elkaar over de speelplaats, net zoals op alle andere dagen. Dit is een gewone dag, houd ik mij nogmaals voor. Maar niets kan zo dreigend zijn als een doodgewone dag. Ik kijk rond. Cedric en Valentin staan nu naast de frisdrankautomaat.

Maar waar zijn Joe en Sebastiaan?

'Zoek je iemand?' vraagt Zyna.

'Bemoei je met je eigen zaken, Zyna.'

'Zeg, heb jij een rothumeur vandaag!'

Verontwaardigd loopt Zyna van mij weg. Cedric en Valentin kijken vanuit de verte naar mij, Valentin vanuit de hoogte en Cedric met zijn duimen in zijn zakken. Traag maar dreigend steekt hij een wijsvinger naar mij op. Ik draai mij om. Tegen de muur zie ik Joe en Sebastiaan. Joe kijkt naar mij zonder met zijn ogen te knipperen. Ik wend mijn blik af. Boven de speelplaats schuift traag een donkere wolk voor de zon. Een enorme schaduw glijdt over de speelplaats. Ik krijg het koud. Ik ril. De andere jongens en meisjes hebben niets in de gaten en praten gewoon verder. Niets aan de hand, houd ik mezelf voor. Wanneer de bel gaat, loop ik vlug naar binnen. Valentin komt mij achterna.

'Mond houden, kleine,' sist hij tussen zijn tanden.

'Wat moet die griezel van je?' vraagt Zyna, die altijd en overal aanwezig is. Die altijd alles hoort en ziet.

'Hier, de oplossingen van de vraagstukken.'

Ze steekt haar hand uit en laat een opgevouwen blad papier in mijn broekzak glijden. Ik krijg spijt van mijn harde oordeel over haar.

'Hé, Wouter. Heb jij iets met Zyna?' knipoogt Amélie samenzweerderig.

'Ik? Nee, hoor. Hoe kom je erbij?'

Ik ga mijn klas binnen zonder om te kijken.

'Op jullie plaatsen, mannen!'

170

De leraar deelt de schriften uit. Hij schrijft enkele oefeningen op het bord. Het wordt muisstil in de klas. De bollebozen beginnen onmiddellijk te werken. De trage leerlingen knabbelen aan de punt van hun pen. Sven steekt zijn vinger op om uitleg te vragen. De leraar heft zich uit zijn stoel en wandelt naar achteren. Ik hoor hem over de oefening praten. Even later voel ik zijn adem in mijn hals. Ik buig mij over mijn schrift en doe alsof ik diep nadenk. Na wat een eeuwigheid schijnt te duren, hoor ik hem naar de andere kant lopen. Ik voel het zweet in straaltjes langs mijn hals glijden. Mijn handen zijn klam. Ik krijg geen letter op papier.

Kobe en Anton worden afgeleid door iets wat zich op de speelplaats afspeelt. Ze gebaren naar elkaar, staan half op en kijken door het raam. De leraar volgt hun blik en gaat op zijn tenen staan. Ik sta op en buig voorover. De angst slaat mij om het hart. Beneden zie ik de directeur de speelplaats oversteken. Achter hem loopt een man in een deftig pak. Een rechercheur? Een inspecteur van de politie? Ergens in de verte oefenen kinderen op een instrument. Een kind speelt vals en het lied herbegint. De speelplaats is nu leeg. Het is heel rustig in de klas. Maar mijn hart slaat in paniek dubbel zo hard.

'Pennen neer en schriften dicht. Sven zal ze ophalen,' zegt de leraar na een tijdje.

Ik steek mijn vinger op: 'Mag ik naar de wc, meneer?'

'Vlug dan,' knikt de leraar onwillig met een blik op zijn horloge. 'En terug zijn voor de bel gaat, hoor.'

Op het toilet vouw ik de krant open. De letters dansen voor

mijn ogen. Ik lees en herlees wat er gedrukt staat. Tweede brandstichting in amper enkele weken tijd, een daad van racisme of het werk van een pyromaan, kopt de krant.

*In H. bij A. is vorige nacht brand gesticht in een onbewoonbaar verklaard pand op de duinenweg.*

*De brandstichters hadden hun daad goed voorbereid. De politie vond in de tuin een gaslantaarn en een lege jerrycan. De brandweer was vlug ter plaatse, maar kon het vuur pas doven toen het hele huis bijna was afgebrand. Naar verluidt was het enkele maanden geleden gekraakt door een groepje illegalen, maar van de bewoners ontbreekt voorlopig ieder spoor.*

*Volgens het parket is het duidelijk dat het om brandstichting gaat. Verschillende keren werd er door de omwonenden een groepje verdachte jongeren in de omgeving van het huis gesignaleerd. Hun leeftijd wordt geschat tussen twaalf en achttien jaar. Voorlopig kan niemand een nauwkeurige persoonsbeschrijving geven, maar de politie maakt zich sterk dat ze de daders vlug zal kunnen vatten.*

*Ook verontrustend vindt de politie het feit dat het al de tweede keer is dat in hetzelfde dorp een groepje allochtonen het slachtoffer werd van geweldplegingen. Is er een pyromaan aan het werk of een groep extreem rechtse racisten?*

*In een persmededeling van vanmorgen keurt het voltallige schepencollege iedere vorm van racistisch geweld af. Op de vraag van een journalist hoe het komt dat ze de aanwezigheid van deze vreemdelingen op hun grondgebied zo lang hebben gedoogd, antwoordde de burgemeester dat hij zijn diensten de opdracht zal geven om een onderzoek in te stellen. Hij betreurt dat het onveiligheidsgevoel nu ook in zijn dorp de kop opsteekt en maant iedere burger aan tot kalmte. Als de daders gevat worden, wacht hun in ieder geval een strenge straf.*

Extreem rechts? Racistisch geweld? De kranten vergissen zich. Ze vergissen zich over de hele lijn. O, o, o, wat heeft die stomme Bosse toch allemaal uitgehaald? Moeten wij boeten voor de daden van deze domme jongen? Het komt er nu op aan om heel goed na te denken.

Want, ook al ben ik volledig onschuldig, die vreselijke Bosse zou mij en Joe en zijn vrienden wel eens erg in de problemen kunnen brengen. Stel dat hij wordt gevat en mij aanwijst als de brandstichter? Of Joe? Of Sebastiaan. Of Cedric? Ja, die Bosse is vast tot alles in staat om zijn hachje te redden. Misschien moeten wij met z'n allen het hele verhaal maar zo vlug mogelijk aan de politie gaan vertellen.

Waar kwam trouwens plots dat benzineblik vandaan? Wijst dat er niet op dat Bosse zijn daad goed had voorbereid? Ja, hoe langer ik erover nadenk, hoe zekerder ik ervan ben dat Bosse al op voorhand zijn plan had beraamd. Misschien is Bosse inderdaad een pyromaan.

Met voorbedachten rade! Ik ril van afschuw. Ja, ik moet Joe overhalen om Bosse bij de politie aan te geven. Die jongen moet tegen zichzelf worden beschermd. Anders gaat het van kwaad naar erger met hem.

Nu mijn besluit vaste vormen aanneemt, voel ik mij opgelucht. Ik vouw de krant op, rol ze zo klein mogelijk op en steek ze in mijn broekzak. Nu nog Joe overtuigen!

Het is speeltijd. De zon schijnt en de meeste leerlingen hebben een plekje uitgezocht op de banken of op het muurtje. In de verte zie ik het kaalgeschoren hoofd van Valentin. Cedric staat naast hem. Het lijkt wel of ze ruzie hebben.

'Hoi, mannen!'

'Wel, wel, wel. Als je van de duivel spreekt!'

Cedric, Valentin en Sebastiaan hebben zich in mijn richting gedraaid.

'Ik moet Joe dringend spreken.'

Valentin drinkt zijn flesje leeg en mikt het in de container.

'Spreek op, wij hebben geen geheimen voor elkaar, niet, Joe?'

Joe, die een eindje verder staat, wrijft met zijn handen zijn haren plat en trekt de kraag van zijn jekker naar boven.

'We moeten ons gaan aangeven, Joe. We moeten de politie de waarheid over Bosse vertellen.'

Het blijft wel een volle minuut stil. Cedric kijkt naar Sebastiaan, Sebastiaan kijkt naar Joe. Valentin krabt met zijn pink in zijn oor en bestudeert een korstje onder zijn nagel.

'We moe-ten ons gaan aan-ge-ven,' hikt Cedric ten slotte ongelovig. 'Waar heb je het eigenlijk over, jochie?'

O, o, o, dit loopt volledig verkeerd, denk ik.

'Sst,' bemiddelt Joe. 'Kom maar even met me mee, Wouter.' En hij trek mij bij de arm tot achter de haagbeuk.

'Hier kunnen we ongestoord praten. Van man tot man. Kom, biecht op. Wat heb je op je lever? Kunnen wij je helpen?'

Sebastiaan, Valentin en Cedric hebben zich echter al rond ons geschaard en volgen met gespitste oren ieder woord.

'Die brand gisteravond, Joe. Jij hebt toch ook de kranten gelezen?'

'Ja, vreselijk,' beaamt Joe, oprecht bedroefd. 'Wie had dat ooit van Bosse gedacht?'

'We moeten Bosse gaan aangeven, Joe,' dring ik aan. 'Die jongen is gevaarlijk. Misschien is hij een pyromaan!'

Joe staart naar de grond en spreekt stil voor zich uit: 'Die arme jongen. Heeft het thuis niet gemakkelijk. Moet voor zijn moeder en zijn twee broertjes zorgen. Eerlijk, Wouter, zou jij het op je geweten willen hebben dat die jongen door jouw verraad voorgoed in de cel moet brommen?'

'Ja maar ...'

'Luister,' komt Cedric tussenbeide. 'Het is niet dat ik wil goedpraten wat Bosse heeft gedaan, helemaal niet, begrijp me niet verkeerd. Maar het was een ongeval. Verkeerd tijdstip, verkeerde plaats, zeg maar. En zeg nu zelf: wat is er verloren aan een onbewoonbaar verklaard huis? Het was een krot. Volledig bouwvallig. Een schandvlek op de buurt. Een constant gevaar voor wie er woonde.'

'En wie woonde daar?' vraagt Sebastiaan. 'Juist ja. Een stelletje armoedzaaiers. Mensen zonder papieren. Zwartwerkers. Illegalen die het pand gekraakt hadden en met hun criminele zaakjes de hele buurt onveilig maakten.'

'Eigenlijk heeft Bosse een goede daad gesteld,' grijnst Valentin.

'Nou, zo zou ik het niet willen verwoorden,' zegt Joe ernstig met een blik op mijn ontzette gezicht.

'Maar het blijft een feit dat de gemeente nu eindelijk het hele zootje kan opruimen. Daarna kunnen er winkels en appartementen gebouwd worden. De buurt zal er op termijn wel bij

175

varen. Dat betekent werkgelegenheid voor alle mensen van ons dorp. Wist je trouwens dat er geregeld klachten waren over nachtelijk lawaai en geurhinder? Ik zou mij dus maar geen zorgen maken.'

'Zo zie je maar, Wouter,' grijnst Cedric.

'Maar als Bosse nu eens ...' probeer ik nog.

'Van Bosse heb je niets te vrezen. Die zal wel twee keer nadenken voor hij zijn mond opendoet.'

'Als jij nu ook belooft je bek te houden,' fluistert Valentin en hij kijkt daarbij zo dreigend dat ik er geen seconde aan twijfel dat hij meent wat hij zegt.

'Geloof me, dit is het beste voor iedereen,' zegt Joe nog. 'Doe maar gewoon. Alsof er niets gebeurd is. En vergeet vooral niet dat wij onschuldig zijn.'

'En nu: hop, hop, hop naar je klas,' vult Valentin aan. 'Ze moeten ons de eerstvolgende dagen niet te veel samen zien. Je weet maar nooit wat sommige dommeriken zouden kunnen denken.'

# ZWINTIG

'Waar was jij de hele tijd?' vraagt Zyna argwanend.

'Ik?' val ik uit de lucht.

Zyna snuift beledigd en loopt de klas binnen zonder nog iets te zeggen.

We hebben twee uur Frans na elkaar. Eerst maken we oefeningen op l'*adjectif possessif* en daarna lezen we een stukje uit *Les Lettres de mon moulin*. Zonder aan de leraar en zijn les nog enige aandacht te schenken denk ik na over wat Joe heeft gezegd. Mondje houden. Zwijgen. De aandacht vooral niet op Bosse vestigen. Maar wat als Bosse er nu eens niet voor zou terugdeinzen om ons in de problemen te brengen? Met zo'n achterbakse jongen weet je maar nooit. Hij draait er waarschijnlijk zijn hand niet voor om om zijn vrienden te beschuldigen van wat hij zelf heeft gedaan. Ik twijfel. Spreken is zilver, zwijgen is goud, zegt ma altijd. Maar uitzonderingen bevestigen de regels, beweert Goffin. Wat moet ik doen? Ik denk dat ik Joe nog maar eens moet opzoeken als hij alleen is. Met Joe kun je beter praten als zijn vrienden er niet bij zijn. Joe denkt genuanceerd, zou ma zeker zeggen als ze Joe zou kennen.

Oef! De bel! Eindelijk! Eindelijk verlost van de leraar Frans met zijn verhaal uit grootvaders tijd!

Tijdens de speeltijd eet ik in mijn eentje mijn boterhammen op. Amélie is naar huis gaan eten en Zyna zit een beetje verder te pruilen in de zon. Oei, daar komt Dieter de speelplaats op ge-

177

stormd. Dieter is een ongeluksbrenger. Als Dieter al van ver roept: 'Hebben jullie het al gehoord,' krimp ik in elkaar van ellende. Is er een schip voor onze kust vergaan? Heeft hij zich met Amélie verloofd?

Een groepje leerlingen heeft zich al rond hem verzameld. Ik kan maar beter gaan luisteren wat hij te vertellen heeft. Ditmaal klinkt zijn boodschap zo onheilspellend dat ik er stil van word. Sven, die tijdens de middagpauze bij zijn grootmoeder is gaan eten, heeft het nieuws ook gehoord. En ook Anton bevestigt het gerucht dat een van de vreemdelingen is teruggevonden in een ziekenhuis in de stad met brandwonden op zijn rug en zijn handen. Het zijn arme sloebers uit Kazachstan of Moldavië, zo precies weet Anton het niet meer. In ieder geval uit een land waar mensen zonder proces worden opgesloten in de gevangenis en gemarteld tot ze dood zijn. Ze hebben hier asiel aangevraagd en wachten op het einde van hun procedure.

'Afschuwelijk,' hoor ik een leerling uit een hoger jaar zeggen. 'En dat in ons dorp, waar het altijd zo goed ging. Ik hoop dat ze de daders zo vlug mogelijk oppakken.'

'Volgens mijn oom heeft de politie al een ernstig spoor,' verkondigt Dieter. 'Nu zal het niet lang meer duren voor de daders gevat zullen worden.'

O, o, wat erg! Er is een gewonde gevallen. Dit gaat helemaal de verkeerde kant op. Ik maak mij uit het groepje los en ga op zoek naar Joe om hem van dit slechte nieuws op de hoogte te brengen. In plaats van Joe zie ik Moniek met haar vriendinnen tegen het hekje staan. Ik krijg een idee. Misschien weet Moniek waar

Djekke is. Alleen aan Djekke kan ik vertellen wat er gebeurd is.

'Pst, Moniek! Moniek, weet jij toevallig niet waar Djekke nu woont?'

Moniek draait zich om.

'Wouter, heb jij het nieuws al gehoord? Een schande is het. Een schande voor ons dorp. O, ik hoop maar dat de dader niemand is die we kennen. Ik zou hem met mijn blote handen kunnen vermoorden! En weet je wat het ergste is? Ik denk dat er een link is tussen de brandstichting van vannacht, de brand in het studentenhuis en de laffe aanval op Djekke en zijn vrienden. Misschien moet ik maar naar de politie gaan om hen ook van dat laatste op de hoogte te brengen.'

Een link? Onmogelijk! Hier vergist Moniek zich voor honderd procent.

'Met de aanval op Djekke heeft Bosse beslist niets te maken,' flap ik eruit en tegelijk besef ik dat ik te veel heb gezegd, want Moniek fronst haar wenkbrauwen en staart mij aan alsof ze mij niet goed heeft gehoord.

'Wel, Moniek. Weet jij waar Djekke is?' vraag ik om haar af te leiden.

'Hola, Wouter! Wacht eens even. Herhaal eens wat je daarnet hebt gezegd. Heb ik dat goed begrepen? Weet jij wie die branden heeft gesticht? Wel, heb je je tong verloren? Moet ik je misschien eens goed door elkaar schudden?'

'Je hebt me vast verkeerd begrepen. Ik weet echt niet waar je het over hebt,' piep ik.

Maar Moniek is blijkbaar niet van plan om zich met een kluitje in het riet te laten sturen. Ze blijft maar naar mij kijken met een blik vol twijfel.

'Wat wilde jij mij precies vertellen, Wouter?' dringt ze aan.

'Echt waar, Moniek. Ik wilde je alleen maar vragen of je weet waar Djekke is.'

'Djekke is naar de overkant.'

'Hoe weet je dat?'

'Nou, dat voel ik gewoon. Hier heeft zo'n jongen toch geen toekomst meer. Zeker niet na wat er vannacht is gebeurd.'

'Ik wil ook naar de overkant, Moniek.'

'Zo'n klein joch en al zo'n grootse plannen,' schuddebolt Moniek. Zou je niet eerst een diploma behalen voor je voorgoed vertrekt?'

Net mijn ma. Kwaad wend ik mij van haar af. Niemand begrijpt mij.

'Hola, wacht eens even! Wat had jij te vertellen over een zekere Bosse?'

'Ach, loop naar de hel, Moniek!'

'Rare jongen,' hoor ik Moniek nog zeggen terwijl ik wegloop.

Ik wring mij tussen de andere leerlingen naar binnen. In de les van Kossler wil niemand te laat komen.

Kijk, de oefeningen staan al op het bord. Wel twintig bewerkingen. We zetten ons zuchtend aan het werk en rekenen, herberekenen, verbeteren terwijl de leraar achter zijn lessenaar blijft zitten.

'Kijk, daar heb je die engerd,' fluistert het meisje dat achter mij zit, een grietje met uitpuilende ogen en een hoog voorhoofd. 'Is dat jouw vriend niet?'

Ik kijk door het raam. De directeur steekt de speelplaats over. Naast hem loopt dezelfde man als vanmorgen. Achter hen sjokt een leerling met zijn hoofd naar de grond. Het is Cedric. Ik herken hem aan zijn manier van lopen.

'Nee, hoor. Dat is geen vriend van mij. Hoe kom je erbij?' hoor ik mezelf zeggen en ik schrik van het geluid van mijn eigen stem. Kossler kijkt op, maar doet of hij niets gehoord heeft. Hij staat op en veegt met een spons de helft van het bord schoon. Daarbij kijkt hij de hele tijd over zijn schouders naar beneden, maar er valt niets meer te zien behalve een witte plastic zak die door de wind wordt opgetild en tot in de takken van de boom vliegt.

'Doorwerken,' zegt Kossler streng. 'Ik hoop dat je alle oefeningen al af hebt.'

'Pst,' fluistert Zyna. 'Pst.'

Ik draai mij half om. Zyna doet teken met haar ogen. Daar! Kijk daar!

Weer zie ik de twee mannen over de speelplaats lopen, ditmaal gevolgd door Valentin, die voor één keer niet stoer en zelfbewust met zijn heupen schudt, maar eerder als een oudje met gebogen hoofd achter de mannen sloft.

'Wat hebben die op hun kerfstok?' vraagt het meisje achter mij zich hardop af.

Oei, oei, oei. Wordt het straks mijn beurt? Word ik straks ook voor een verhoor uit de klas gehaald? Dit loopt helemaal verkeerd af.

'Agenda invullen. Boekentassen maken. Klas opruimen. Stoelen op jullie lessenaar,' zegt Kossler.

Wanneer de bel gaat, ren ik de toiletten binnen. Er kolkt iets in mijn maag dat zich door mijn slokdarm naar mijn mond wil wringen.

'Hier, je was je boekentas vergeten.'

Zyna staat met mijn boekentas voor haar buik in de deuropening.

'Ik ben ziek,' verklaar ik. 'Echt waar, ik voelde mij vanmorgen al ziek, maar ik mocht van ma niet thuisblijven.'

'Jij bent niet ziek, wel zielig,' zegt Zyna.

Ze blijft staan en verspert mij de weg. Op de speelplaats zie ik de directeur samen met de surveillant naar het secretariaat lopen. Hardhandig trek ik Zyna naar binnen.

'Pas op dat ze je niet in de gaten krijgen! Meisjes mogen niet in de jongenstoiletten komen.'

'O, nee? Dat wordt dan geregeld!'

Zyna kamt haar haren plat en trekt haar kap over haar hoofd, zodat ze op een jongen lijkt. Ze wacht zonder iets te zeggen.

'Oké, je hebt gewonnen, Zyna. Ik ben inderdaad een zielige jongen. Ik zit in de shit. Ik zit tot over mijn oren in de shit. Het is beter voor jou dat ze ons niet samen zien.'

'Ik, ik heb niets verkeerds gedaan,' zegt Zyna stroef. Ze blijft staan en geeft geen krimp.

'Ben jij eigenlijk wel mijn vriend, Wouter? Ben jij mijn vriend of niet? Vrienden moeten elkaar alles kunnen vertellen.'

'Het is Bosse,' schreeuw ik. 'Begrijp je het nu? Het is die verschrikkelijke, achterlijke, onuitstaanbare Bosse. Als hij niet zo dom was geweest, was dit nooit gebeurd.'

'Bosse?' vraagt Zyna enigszins verwonderd met haar wijsvinger op het topje van haar neus. 'Laat mij even nadenken. Door een zekere Bosse zit jij nu in de rats? Bosse? Bosse? Waar heb ik die naam nog gehoord? Nu ja, het doet er niet toe. Voor ieder probleem bestaat er wel een oplossing, maar hoe kan ik jou nou helpen als je mij niet alles wilt vertellen?'

'Begrijp je het dan niet, Zyna? Ik moet onderduiken. Hoe zou jij mij kunnen helpen? Of ken jij soms een onderduikadres?'

'On-der-dui-ken?'

Zyna spreekt het woord langzaam en vol afgrijnzen uit. Nu tikt ze met haar vinger tegen haar voorhoofd en zegt: 'Wouter, ben je gek geworden, zeg? Jij hebt dringend hulp nodig.'

'Je denkt dat ik gek ben? Nou, lees dit dan maar eens. Ik heb inderdaad hulp nodig. En vlug!'

Ik duw haar het stuk krant onder de neus. Zyna neemt de krant tussen duim en wijsvinger en begint vlug te lezen. Haar ogen vliegen van links naar rechts over het papier en, terwijl ze hardop de zinnen voorleest, vertrekt haar mond van misprijzen en afschuw.

'En, geloof je mij nu?'

'Ik begrijp het niet,' zegt Zyna. 'Bedoel je dat … Bedoel je dat je …?'

Zyna kijkt nu zo ongelovig dat ik zin krijg om te huilen. Maar jongens huilen niet.

'Het was Bosse. Dat heb ik je toch al verteld,' stampvoet ik.

'Wacht eens even. Wacht eens even. Als ik het goed begrijp, was jij toevallig op het verkeerde ogenblik op de verkeerde plaats. Jij hebt daar toen een zekere Bosse gezien. Wie is Bosse? Ja, nu gaat er me een licht op. Is dat niet die jongen die je een tijdje geleden hebt aangewezen toen hij met Joe over het strand liep? Maar wat doet zo'n jongen 's nachts in de duinen? En wat deed jij eigenlijk nog zo laat op die verlaten plaats? En wie waren die anderen? Heb je die ook gezien? Als dat zo is, ben jij een belangrijke getuige. Besef jij wel dat je de politie op het juiste spoor kan zetten om de daders te ontmaskeren?'

'Ik heb niemand herkend,' zeg ik stug.

'Niemand herkend?'

Zyna stokt even in haar betoog, denkt na en dramt dan weer door.

'Ja, nu begrijp ik het helemaal, Wouter. Jij bent door de brand-stichters herkend. En nu durf je niet tegen hen te getuigen uit angst voor hun wraak. Daarom ben je natuurlijk zo bang. Daarom zie je zo bleek. Daarom wil je onderduiken. Maar je kunt toch niet je hele leven blijven vluchten? Nee, je moet de politie zo spoedig mogelijk gaan vertellen wat je vannacht precies hebt gezien. En je ouders natuurlijk. En de directeur van de school. En je vrienden. Ze zullen je steunen en al het mogelijke doen om je te beschermen. Eigenlijk zou jij een held kunnen zijn, Wout.'

Zyna is nu zo op dreef dat ze niet meer luistert. Nee, zo ken ik haar niet.

'Stop,' roep ik. 'Stop, Zyna. Stop, stop, stop. Ik ben geen held. Ik ben echt niet wat jij denkt.'

Zyna kijkt verwonderd en geschrokken van mijn uitval.

'Arme Wouter. Als je geen held bent, ben je een slachtoffer,' besluit ze na enig nadenken. Kom, Wouter, wij gaan om te beginnen alles aan Kossler vertellen. Hij is tenslotte onze klassenleraar.'

'Zyna,' dring ik aan. 'Als je nu eens één minuut naar mij zou willen luisteren.'

'Arme Wouter, natuurlijk mag je mij alles vertellen. En natuurlijk zal ik naar je luisteren. Wie waren die gasten? O, ik hoop maar dat ze niet uit ons dorp komen. Of in onze school zitten. Of …'

Zyna volgt mijn blik naar buiten. Daar is de directeur weer, ditmaal geflankeerd door Cedric en Sebastiaan. Zyna slaat haar handen voor haar mond. Haar ogen worden groot van ontzetting. Er gaat haar een licht op. Nee toch, schijnt ze te denken.

'Die engerds? Zijn het die engerds? Vooruit, Wouter. Biecht op! Zijn zij het of zijn zij het niet?'

'Je hebt nog altijd niet naar mij geluisterd, Zyna.'

'En of ik heb geluisterd,' zegt Zyna opgewonden. 'Maar ik begrijp het nog niet helemaal. Jij houdt iets achter voor me. Jij verzwijgt iets. Jij weet iets dat je mij niet wilt vertellen. Wat is het? Als je mij de waarheid niet vertelt, is het voorgoed gedaan met onze vriendschap.'

'Sst, stil. Roep niet zo hard. Straks hoort de directeur ons nog. Ik dacht dat jij me wilde helpen?'

O, wat ben ik teleurgesteld in haar. Dit rustige, stille meisje is veranderd in een tierende wraakgodin.

Het laatste wat ik nu in mijn buurt wil, is een hysterisch wicht. Zo'n kind weet niets, begrijpt niets en stuurt met haar

185

groteske emoties alles in de war. Stel je voor, bijna had ik dit labiele kind alles verteld.

'Kom, Zyna, ga naar huis. Voor je alles verpest.'

'Jij ziet echt niet in dat je hulp nodig hebt, Wouter.'

'Jij begrijpt echt niets!'

'Eén ding wil ik je wel nog zeggen,' roept Zyna. 'Ik heb je verschillende keren voor die engerds gewaarschuwd. Iedereen op school weet hoe die gasten denken.'

Maar ik ben al weg zonder nog verder naar die idiote beschuldigingen aan het adres van mijn vrienden te willen luisteren. Zyna is jaloers. Arm kind. Ik heb nu maar één doel: Djekke vinden.

# EENENTWINTIG

'Je zusje is thuis. Je zusje is thuis. Is dat niet heerlijk?' wappert de buurvrouw theatraal met haar handen en ze deint in haar gebloemde jurk als een schip voor mij de trappen op.

Ik probeer mij nog met een smoesje uit de voeten te maken, maar te laat! De buurman heeft mij gezien.

'Wil je die jongen even naar mij sturen,' roept hij naar zijn vrouw.

Schoorvoetend schuif ik zijn kamer binnen. De buurman zit met de opengeslagen avondeditie van de krant aan de tafel.

'Kom, kom maar naast mij zitten. Heb je dit al gelezen?'

Ik knik van nee zonder te kijken.

'Nee? Vooruit, lees: *Poging tot doodslag. Brandstichting bij nacht. Racistisch geweld.*'

Hardhandig duwt de buurman mijn neus tot vlak boven het tafelblad en trekt daarna mijn hoofd bij mijn haren naar achteren.

'Vertel mij eens, kereltje. Waar was jij vannacht?' sist hij.

'Een frietje gaan halen,' lieg ik zwak.

'Een frietje gaan halen? Op het kerkplein? Bij Marlena? Dat is gemakkelijk te controleren.'

De buurman laat mijn haar los en grijpt naar zijn telefoon.

'Nou, niet bij Marlena. Eigenlijk had ik geen honger. Eigenlijk heb ik helemaal geen friet gegeten. Ik was op het strand. Ja, op het strand. Gaan kijken naar de storm. Gaan kijken of er misschien een boot in moeilijkheden was, je weet wel. Maar ik mocht niet naar de zee van ma. Beloof me dat je dit niet aan haar vertelt.

'Ach, je moeder. Dat arme mens!'

De buurman heft zijn armen ten hemel. Nu zit hij met gekruiste armen voor zijn dikke buik te meesmuilen.

'Met brandstichting bij nacht in een bewoond pand kan het gerecht niet lachen. Daar staan strenge straffen op. Gevangenisstraffen van minstens tien jaar. Zeker als er gewonden zijn gevallen. Die jongens zullen een goede advocaat nodig hebben. Maar goede advocaten kosten veel geld. Heel veel geld. En wat kan zo'n man nou op het proces inbrengen? De slechte jeugd van de dader? Een dronken moeder, een agressieve vader? Het racistische klimaat waarin we nu eenmaal leven? En wat met het slachtoffer? Kijk, lees wat hier zwart op wit gedrukt staat. Ze hebben een van die arme drommels gevonden. Ligt met derdegraads brandwonden aan zijn handen en zijn rug in het ziekenhuis. Daar begint mijn oude hart nu van te bloeden, zie. Ontvlucht zo'n man, met gevaar voor zijn leven, zijn vaderland in de hoop elders een toekomst op te bouwen en wordt dan hier het slachtoffer van blind racistisch geweld. In wat voor een maatschappij leven wij tegenwoordig? Wel, Wouter, kun jij mij dat eens vertellen? Weet jij daar misschien een antwoord op?'

De buurman heeft rechtstreeks het woord tot mij gericht. Ik schrik. Krijg zin om een potje te huilen. Maar jongens huilen niet.

'Ik moet nu echt naar ma,' zeg ik terwijl ik mijn spullen bijeenraap.

'Denk nog maar eens goed na over wat je vannacht gedaan of gezien hebt. Wij spreken elkaar nog wel,' roept de buurman mij nog na.

Boven is het een drukte van je welste. Ma heeft taart gekocht en koffie gezet. Maar meer nog dan het aroma van de koffie hangt er een geur van luiers en melk in de kamer.

'Waar is dat zusje van me,' doe ik stoer.

'Sst, ze slaapt,' zegt ma met haar vinger op haar lippen. Achter haar rug schept de buurvrouw een groot stuk taart op haar bord. Ik steek mijn tong naar haar uit. Pas nu zie ik Petra. Vreemd om de vrouw van pa hier samen met ma aan tafel te zien zitten. Ma is zenuwachtig. Ze lacht, deelt koekjes uit, schenkt thee en koffie in en morst daarbij op het tafelkleed en schrikt bij ieder geluid. Goffin zit werkeloos en schaapachtig met zijn grote handen in zijn schoot in de fauteuil.

'Ja, dat zusje van jou is al een flinke meid,' knipoogt de buurvrouw overdreven familiair. Liesl trekt aan mijn mouw. Samen sluipen we naar de slaapkamer van ma. Het wiegje staat naast de commode in een hoek van de kamer. Ik ben teleurgesteld. Is dat klein hoopje verfomfaaide mens mijn zusje?

'Is ze niet beeldig?' vraagt Liesl vertederd.

'Stil, laten we haar niet wakker maken, Liesl,' zeg ik, maar Liesl is niet weg te slaan van het kind.

Op de gang bots ik op Petra. Ze staat voor de spiegel en spuit een vleugje parfum in haar hals.

'Als je wilt, kun je straks al wat van je spullen met mij in de auto meegeven,' zegt ze vriendelijk. 'We zijn echt blij dat je voorlopig bij ons komt wonen. Ik wil dat je dat weet. Je doet er niet alleen je vader een plezier mee, maar ook je moeder, die behoefte heeft aan wat rust. En ook onze jongens kijken vol spanning

189

uit naar je komst. Vooral de oudste telt de dagen af. Hij heeft de computerspelletjes al geïnstalleerd. Die hoopt natuurlijk op een spannend partijtje met zo'n grote kerel als jij. Ja, we kijken echt uit naar je komst,' herhaalt Petra zo nadrukkelijk dat ik het vermoeden krijg dat er iets aan de hand is wat men mij niet heeft verteld. Misschien gaat het helemaal niet goed met Eefje?

Ik ga mijn kamer binnen en sluit de deur voor haar neus.

Waarom word ik altijd als een kind behandeld en Liesl als een volwassene, hoewel ze amper drie jaar ouder is dan ik? Maar ik ken het antwoord al. Omdat ik een dwaze, wat wereldvreemde jongen ben. Dat is toch wat Liesl altijd beweert als ze kwaad is. Nog net niet achterlijk, zegt ze soms.

Alleen Djekke begrijpt mij volledig. Met Djekke kan ik zowel over ernstige dingen praten, als luidkeels lachen om een bagatel. Ja, Djekke is mijn enige, echte vriend. Ik voel een steek van angst. Waar is Djekke nu? Zal ik hem ooit nog zien?

Ik ga op mijn rug boven op mijn onopgemaakt bed liggen en denk aan de gewonde man. En waar zijn de vrouw en het kind? Vreselijk wat Bosse die arme mensen heeft aangedaan.

'Mag ik erin?'

Liesl stormt ongevraagd mijn kamer binnen, trekt haar schoenen en sokken uit en gaat met gebogen knieën aan het voeteneind van mijn bed zitten.

'Waarom is mijn kleine broer zo afwezig?' plaagt ze en ze prikt met haar nagels in mijn tenen.

Na Djekke en ma is mijn zus de enige die ik volledig vertrouw.

'Er is iets vreselijks gebeurd, Liesl.'

'Laat me raden, je vriendinnetje heeft het uitgemaakt.'

Ik ben teleurgesteld. Als ik zelfs aan Liesl mijn zorgen niet kwijtraak, hoe moet het dan verder met mij?

'Komaan, kop op, Wouter! Zo erg kan het toch niet zijn? Er zijn toch meisjes genoeg op de wereld?'

Liesl kijkt nu onderzoekend en lichtjes bezorgd naar mij. Ik voel de tranen branden in mijn ogen.

'Ik heb nog altijd hoofdpijn,' klaag ik en ik draai mij naar de muur.

'Hola, zo vlug ben je van mij niet verlost, hoor, broertje,' zegt Liesl. Ze kruipt over het bed en wringt zich tussen mij en de muur.

'Opschuiven, kleine hufter.'

Nee toch! Nu huil ik toch! Ik druk mijn hoofd in het kussen, bang dat Liesl mijn tranen zou zien.

'Kiele, kiele, kiel,' plaagt Liesl en ze prikt met haar vingers in mij zij.

'Er is echt iets heel, heel ergs gebeurd, zus.'

Hoort Liesl aan mijn stem dat het menens is? Ze houdt in ieder geval op met kietelen en gaat met haar rug tegen de muur zitten.

'Vertel op, Wouter. Maar als het echt zo erg is, moet je ma erbuiten houden! Ze heeft het nu al moeilijk genoeg!'

'Heb je de krant al gezien, Liesl?'

'Nou, om kranten te lezen heb ik vandaag niet veel tijd gehad, hoor. Laat me even nadenken. Op de voorpagina stond er iets over onze premier en zijn ministers. En over de vele ont- slagen in de autofabriek. Ocharm, die arme mensen die nu zonder werk zitten! En dan was er nog die laffe brandstichting waarvan iedereen vermoedt dat ... O, o, o!'

Liesl slaat nu net zoals Zyna haar hand voor haar mond. Haar ogen worden groot en ze gaat zelfs een eindje verder van mij af zitten, alsof ik een besmettelijke ziekte heb.

'O, o, o! O nee! Het is toch niet waar? Wouter, vertel mij dat het niet waar is voor ik begin te gillen! Jij bent toch niet die brandstichter waar de politie al de hele dag naar op zoek is?'

Ik moet drie keren slikken voor ik kan antwoorden. Dat Liesl mij van zoiets kan verdenken!

'Rustig, Liesl. Natuurlijk ben ik onschuldig. Ik zweer het. Ik zweer het op het hoofd van mijn zusje. Ik wil je de hele waarheid vertellen. Maar ik weet echt niet waar ik moet beginnen.'

'Waar was jij gisterenavond eigenlijk?' vraagt Liesl alsof ze zich plots iets schijnt te herinneren.

'In de duinen.'

'In de duinen?'

Weer die grote ogen vol ontzetting. Weer dat ongelovige gezicht.

Ik begin nu te vertellen. Beetje bij beetje komt alles naar boven. Van de hak op de tak vertel ik. Hortend en stotend. Een warrig verhaal, niet chronologisch. Een verward relaas van wat mij overkomen is.

Liesl, die moeite heeft om te volgen, stelt af en toe een vraag, maar het meeste van de tijd doet ze er het zwijgen toe. Het einde van mijn verhaal komt abrupt, als een bittere slok gal die uit mijn mond gulpt. Ik voel mij opgelucht. Eindelijk ben ik verlost van mijn vreselijke geheim!

'Zie je nu wel, Liesl, dat ik onschuldig ben. Het was die vreselijke, achterbakse Bosse. Vind jij ook niet dat we die jongen bij de politie moeten gaan aangeven?'

Ik draai mij op mijn zij en wil Liesl plagerig bij de enkels grijpen. Maar Liesl springt op en gaat zwijgend met haar rug naar mij voor het raam staan.

Het blijft angstaanjagend stil. Ik wacht gelaten. Als Liesl zwijgt, is een spervuur van vervelende vragen of een tyfoon vol verwijten nooit veraf. En dan draait Liesl zich om met een van ongeloof vertrokken gezicht. Zo verontwaardigd en geschrokken heb ik haar nog nooit gezien.

'Jij bent zo ontzettend arrogant, oppervlakkig, dwaas, naïef en dom. Ja, vooral dom. Dat jij in die kerels hun valkuil bent getrapt, verwondert mij eigenlijk niet nu ik jou zo bezig hoor. Ik kan amper geloven dat jij mijn broer bent. Heb ik jou al niet van in het begin voor die Joe en zijn vrienden gewaarschuwd? Nooit heb ik die kerels ook maar voor een cent vertrouwd. Niet te geloven hoe jij je door hen hebt laten inpakken. Eén enkele blik op Joe en dat kliekje van hem is toch genoeg om te weten waar die gasten voor staan. Walgelijk hoe ze niet alleen jou, maar vooral Bosse hebben misleid. Fijne vrienden heb jij, zeg.'

Hier stopt Liesl even om naar mij te kijken, voor ze voortgaat.

'Maar onschuldig? Onschuldig? Daar zou ik maar niet zo zeker van zijn.'

Ik heb niet graag dat ze met die blik naar mij kijkt.

'Het was Bosse,' piep ik zwak.

'Bosse? Ben je daar wel zeker van? Heb je in het donker wel

alles goed kunnen zien? En zelfs als dat zo is, treft Bosse niet alle schuld. Bosse is immers nog maar een kind. Denk daar maar eens grondig over na. Ik weet nu in ieder geval wat me te doen staat.'

Liesl gaat onder het bed op zoek naar haar sokken en trekt in een woest gebaar haar schoenen aan.

'Liesl, waar ga je heen?'

'Je mag twee keer raden.'

Liesl trekt haar jas aan en loopt naar de deur.

'Die gasten moeten boeten voor hun daden.'

'Liesl!' schreeuw ik. 'Liesl!'

Maar mijn zus is al weg.

# TWEEËNTWINTIG

Ma staat naast het wiegje van Eefje en kijkt verbaasd op wanneer ik voorbijstorm.

'Hé, Wouter …?'

De baby begint te huilen en ma buigt zich meteen weer voorover.

In de woonkamer voeren Petra en de buurvrouw het hoogste woord. De deur staat half open. Goffin zit wijdbeens in zijn fauteuil met een pint in zijn hand.

'Hé …?' zegt ook hij als hij mij ziet.

'Wouter, kom er gezellig bij,' wenkt Petra alsof ze hier thuis is.

Maar ik ren de trappen af, Liesl achterna.

'Wel, wel, wel. Zoveel haast vandaag?' vraagt de buurman. Hij staat in de deuropening en verspert mij met zijn dikke buik de weg.

'Laat mij door!' roep ik luider dan ik wil.

'Hoe vraag je dat?'

'Alsjeblieft. Ik moet dringend weg.'

'Terwijl je ma de thuiskomst van je zusje viert, moet jij zo nodig dringend weg. Wel, wel, wel. En die zus van jou kwam hier ook al voorbij met een gezicht alsof ze een spook had gezien. Rare familie zijn jullie, hoor.'

De buurman slaat zijn armen over elkaar en maakt geen aanstalten om opzij te gaan. Ik duw tegen zijn buik en trek aan zijn armen. Hij wankelt en zet vloekend een stap achteruit.

'Daar zul je nog spijt van krijgen, ventje!'

'Sorry!' roep ik vanuit de verte.

Ik zit al op mijn fiets en draai de hoek om, richting centrum. Liesl is nergens meer te bekennen. Is ze op weg naar het politiekantoor of is ze naar de duinen gereden om na te denken? Liesl kan soms verbazend snel rijden, zelfs vlugger dan ik. Onmogelijk om haar in te halen als ze een voorsprong van enkele minuten heeft.

Ja, het is zoals ik gevreesd heb. In de verte zie ik haar fiets tegen de gevel van het politiekantoor staan. Is ze een verklaring gaan afleggen? Het is nu te laat om haar nog op andere gedachten te brengen. Ze zal niet alleen over Bosse, maar ook over Joe en zijn vrienden haar mond voorbijpraten. En daarna zal ze mijn naam noemen. Liesl is niet te vermurwen als het om gerechtigheid gaat.

Ik fiets naar de zee. Ik mis Djekke om mee te praten. Djekke is de enige die mij volledig begrijpt. Ik ga hard op mijn trappers staan. Een man met een hond aan de leiband roept mij na.

'Hé, jongeman! Kijk eens uit! Zit de duivel je soms achterna?'

Ik ga nog harder fietsen. Voorbij de haven, naar het strand. Vlugger, Wout! Zo vlug mogelijk van deze plek vandaan!

Plots ligt mijn fiets in het zand en sta ik voor de strandcabine die Djekke en zijn vrienden een tijd geleden hebben gekraakt. De deur staat op een kier en klappert in de wind. Het gebroken raam is nog niet hersteld. Binnen is alles vochtig en nat. Het hout en de kleren ruiken naar schimmels. Op de grond liggen glasscherven. Met mijn voet veeg ik ze op een hoopje bij elkaar.

Ik ga terug naar buiten en ga op de rand van de balustrade zitten. In mijn hoofd hoor ik de stem van mijn zus. Wouter, jij moet dringend eens alles op een rijtje zetten. Ik draai mij om en observeer Djekkes schuilplaats. Ik voel dat er iets niet klopt.

Iets dat ik al de hele tijd heb proberen te verdringen. Ik kijk naar de scheefgetrokken deur, naar de glasscherven op de grond en denk aan de gemene lach van Valentin. Er loopt een rilling over mijn rug. Ik herinner mij de woorden van Zyna en die van mijn zus. Vervolgens denk ik aan die arme drommels in het ziekenhuis en aan de vrouw en het kind die nu geen huis meer hebben. Help! Wat moet ik beginnen?

Ik leg mijn hoofd in mijn handen. Ik ben alleen. De zee is mijn enige vriend. Ze klotst met witte schuimwolkjes tegen de rotsen. Ze kabbelt vredig op en neer, op en neer. Een groep meeuwen duikt krijsend in de golven. Er is maar één man op het strand. Het is een oude visser die nog met een schop pieren vangt. Heeft hij mijn aanwezigheid gevoeld? Heb ik zijn aandacht getrokken? Hij kijkt op en roept dat het stilaan donker wordt en dat ik naar huis moet gaan. Nu pas voel ik hoe koud ik het heb. Mijn kleren zijn vochtig. En mijn hoofd lijkt een tijdbom die op springen staat.

Ik moet naar huis, denk ik. En alles bekennen aan ma. Ma is de enige persoon op aarde die onvoorwaardelijk van mij houdt en mij zal kunnen helpen.

Ik weet niet hoe het mij gelukt is om binnen te raken zonder de buurman tegen het lijf te lopen. Feit is dat ik boven voor onze deur sta en aarzel om ze te openen. Aan de andere kant hoor ik ma stilletjes praten. Praat ze tegen Eefje, tegen mijn zus of tegen Goffin? Ik leg mijn oor tegen de wand, maar het geluid van een overvliegend vliegtuig overstemt alles.

'Wouter! Ik stond juist klaar om je te gaan zoeken. Wat maak jij mij aan het schrikken, zeg!'

Liesl staat voor mijn neus met haar jas aan en haar laarzen in haar hand. Over haar schouders zie ik ma en Goffin aan de tafel zitten. Ma springt op.

'Wouter,' huilt ze en ze opent haar armen. 'Wat doe je toch allemaal? We hebben duizend angsten uitgestaan.'

'Het was Bosse,' schreeuw ik. 'Bosse! Niet ik!'

'Nee, je vergist je, Wouter,' roept Liesl. 'Het was Joe!'

'Joe?'

'Ja, Joe,' herhaalt Liesl.

'Joe!' zegt ma met klem. Goffin knikt.

'Je liegt,' huil ik.

'Echt waar. Hij heeft alles bekend. Hij is het die het benzineblik in de duinen heeft verstopt en de gaslantaarn naar beneden heeft gegooid. En er zijn ook aanmaakblokjes en karton gevonden. Die hadden zijn vrienden daar op voorhand klaargelegd,' legt Liesl uit. Ze spreken nu door elkaar. Ma, Liesl en Goffin.

Joe? Onmogelijk! Ze liegen. Ze liegen allemaal.

Maar dan neemt een vage herinnering in mijn hoofd traag een duidelijke vorm aan. Een arm zwaait met een lantaarn. Rond de pols zie ik een groot, rond horloge met een chronometer en verlichte wijzers. De arm beweegt heen en weer. Bosse struikelt en slaakt een kreet. Joe staat naast mij. Joe met zijn ondoorgrondelijke blik.

Joe?

'En dat is nog niet alles,' vervolgt Liesl. 'Joe en zijn vrienden worden ook van die eerste brandstichting beticht.'

Ik kreun. Heb ik Joe niet zelf over de schuilplaats van Djekke verteld? Hoe blind ben ik geweest! Ik sla met mijn vuisten tegen mijn voorhoofd. Stom, stom, stom!

Liesl staat in de hoek van de kamer stilletjes naar mij te kijken. Ik weet wat ze nu denkt: wat is mijn broer een onnozele, naïeve, domme jongen. En ik geef haar gelijk. Ik ben even dom geweest als die achterlijke Bosse.

'Heeft Joe mijn naam genoemd?' vraag ik heftig. 'Heeft hij iets over mij verteld?'

'Ja,' zegt ma, 'maar gelukkig is hij eerlijk geweest. Hij heeft zelfs onder ede verklaart dat jij volledig onschuldig bent.'

'Als het Joe was, dan was hij niet alleen,' snik ik. 'Ik was er ook bij. Net als Cedric. En Sebastiaan. En Valentin.'

'Sst,' zegt ma.

Ik wil nog iets zeggen. Iets eenvoudigs. Maar ik krijg nauwelijks nog een woord over mijn lippen. Mijn ogen vallen toe en ik ben verkleumd tot op mijn botten.

'Hoe is het met Eefje?' is het enige dat ik nog kan uitbrengen.